ÉDITO

Les circonstances qui président à la création d'une ville et façonnent son destin tiennent autant de l'histoire que de la géographie. Mais à quelles causes attribuer par la suite son aura, l'art de vivre qu'on y pratique, en un mot sa personnalité ? Sur la planète globalisée, Montréal apparaît comme la ville de toutes les proximités, la ville « juste à côté », dans tous les sens de l'expression. Ville aux mœurs paisibles, ville conviviale, loin des mégapoles tentaculaires, excentrée juste ce qu'il faut pour ne pas se sentir isolée et s'inscrire de plain-pied dans un réseau d'échanges intercités, ville à bonne distance de Paris, suffisamment pour se laisser charmer par elle tout en étant préservé du stress de la vie quotidienne parisienne, ville à un jet de pierre de New York, où se rendre en week-end plutôt que d'y subir les flambées de l'immobilier, Montréal n'en demeure pas moins une métropole et une grande ville nord-américaine. À la fois française et cosmopolite, elle est aussi souvent présentée comme le lieu où se dessine le Québec métissé de demain.

Cette proximité native, pourrait-on dire, agit sur le plan culturel. Aussi grande que soit la créativité montréalaise, le facteur démographique finit toujours par y rattraper le théâtre, la littérature, le cinéma, la musique, la danse ou la vie intellectuelle, confinant ses créateurs, même si c'est à des degrés divers en fonction des publics visés et rejoints, dans les marges d'une société qui va par ailleurs son chemin – à côté. On peut s'en désoler. On peut y voir aussi une occasion à saisir. Car Montréal offre le visage d'une ville tour à tour vibrante, imprévue, aléatoire, exaspérante parfois, mais où créer et vivre peut être stimulant. Ce sont là précisément les thèmes abordés dans les deux premières sections de cet ouvrage, dont le titre esquisse un programme : *Montréal la créative*.

La création artistique à Montréal est le fil rouge qui en aura guidé la rédaction. Aussi, un rappel : l'art et la culture ne sont pas des termes interchangeables. L'un renvoie à des disciplines, à un savoir-faire, à des dispositions naturelles qu'un apprentissage, institutionnalisé ou non, et une pratique feront s'épanouir. L'autre se porte volontiers à la boutonnière. Il sied de l'afficher ou de la défendre. Devenu adjectif, le terme est souvent accolé à des mots comme « politiques », « enjeux », « budgets ». Aussi, très rapidement, un second fil rouge s'est mêlé au premier. C'est celui de la démocratisation de la culture, principe auquel souscrivent, à juste titre, les sociétés occidentales, tout en répondant de diverses façons aux difficultés qu'il pose en pratique. À cet égard, Montréal est balayée par des vents contraires. L'accès à la culture pour le plus grand nombre y est une préoccupation constante et incontestée, mais ce sont les goûts du plus grand nombre qui donnent le ton de la culture dans l'espace public et qui sont trop souvent l'aune à laquelle mesurer le succès ou la valeur des œuvres, renvoyant commodément à des cultures dites de niche ce qui s'en éloigne. S'agissant de démocratisation culturelle, le mot du metteur en scène Antoine Vitez – « du théâtre élitaire pour tous » – peut-il encore être un programme ? La question se pose aussi en France, où l'État joue traditionnellement un rôle culturel important, en Italie, où l'argent manque, aux États-Unis, où le mécénat privé est la règle – aussi bien dire dans toutes les sociétés démocratiques. La coupure entre la culture des élites et la culture populaire a des causes et des effets qui débordent bien évidemment la seule perspective montréalaise. Il n'empêche qu'il est intéressant de voir comment l'opposition est résolue dans cette ville, en offrant un instantané de sa création, en ce début du XXIe siècle.

Toute ville traîne dans son sillage une série de lieux communs censés la définir aux yeux de l'étranger. Sous le titre « Rêver Montréal », le troisième volet de cet ouvrage se joue d'un certain nombre de clichés pour mieux leur tordre le cou. Les regards successifs sur la ville de l'immigrant qui vient y refaire sa vie et réaliser ses ambitions, du Canadien anglais que déconcerte son exubérance latine, du Français qui, en l'occurrence et de son propre aveu, s'y est « trouvé », servent ici d'avenues privilégiées, sans oublier le clin d'œil fait à la sempiternelle rivalité entre Montréal et Québec et au catalogue de clichés qui l'alimente. Enfin, une quatrième session invite à la rêverie, à la divagation. Sur le présent, le passé et le futur. Au fait, à quoi pourrait bien ressembler Montréal en 2111 ? Réponse à la fin de l'ouvrage, mais n'anticipons pas. La page suivante, messieurs dames. C'est par là que la visite commence.

MARIE-ANDRÉE LAMONTAGNE

SOMMAIRE

page 4

page 56

I. CRÉER À MONTRÉAL

II. VIVRE À MONTRÉAL

page 82

page 102

III. RÊVER MONTRÉAL - REGARDS SUR LA VILLE

IV. PRÉSENT ET FUTUR CONJUGUÉS

1

CRÉER
À MONTRÉAL

LE GÉNIE DU **LIEU**

Peut-on définir la personnalité d'une ville ? Pourtant, dira monsieur de La Palice, toute ville en est pourvue d'une, alliage subtil entre histoire, géographie, urbanisme, architecture et habitants. C'est le génie du lieu. À Montréal, il est aussi insaisissable que les écureuils dans les arbres. Il est néanmoins à l'œuvre.

Vous êtes montréalais. Vous rentrez en voiture d'un week-end à la campagne, disons de quelque village pittoresque en Estrie (à moins de 150 kilomètres), ou aux États-Unis – Plattsburgh est à 80 kilomètres, l'État du Vermont, à 120. Vous roulez sur la rive sud du fleuve Saint-Laurent, dans la lumière rasante du soleil qui décline. Pare-chocs contre pare-chocs, les voitures s'engagent sur le pont Champlain, blanche et aérienne structure d'acier qui rappelle l'insularité de la ville. C'est alors que, les mains sur le volant, balançant entre résignation et exaspération, vous prenez en pleine figure la masse hardie de béton et de verre qui surgit en face, sur l'autre rive : Montréal.

Comment ne pas être séduit par la vigueur adolescente qui émane de ces gratte-ciel comme offerts sur un plateau, de l'autre côté d'un fleuve irisé de paillettes ? Des ponts graciles, des gratte-ciel embrasés, des plans d'eau chatoyants, des vues qui transportent et donnent envie de croire, pendant un instant, que tout est possible à qui le veut, Sydney, New York, San Francisco et bien d'autres villes à la personnalité affirmée les offrent aussi. En quoi Montréal est-elle différente ? Quels atouts lui permettent de figurer au palmarès des métropoles qui comptent sur la planète ? Au nom de quoi attire-t-elle, fait-elle rêver au moins autant qu'elle exaspère, et retient-elle, souvent ?

À ces premiers pas impressionnistes, il convient d'ajouter quelques faits. Ce centre-ville, modeste, toutes proportions planétaires gardées, mais qui donne à Montréal une silhouette reconnaissable entre toutes, a poussé comme un champignon dans la première moitié du XXe siècle. Il joue d'une harmonie disparate qui fait se côtoyer de beaux édifices Art déco comme l'Aldred Building (1929), la tour cruciforme de la Place Ville-Marie (1962), conçue par l'architecte Ieoh Ming Pei, l'intérieur aérien et lumineux du Centre de commerce international et, non loin, le Westmount Square (1967, lequel n'est pas un square mais un ensemble de tours de bureaux et d'habitation) de Mies van der Rohe, pour s'en tenir à ces quelques repères architecturaux. Cependant, Montréal ne se limite pas à son centre-ville, cœur battant du monde des affaires, du reste éclipsé par Toronto dans les années 1960. La vie montréalaise ne se réduit pas davantage à une combinaison d'exubérance et de douceur de vivre latines mâtinées d'esprit de compromis anglais et de pragmatisme américain. Non plus qu'à une mosaïque de quartiers-villages, chacun typé, tous attachants. Ainsi, le Mile-End, sa faune artiste et cosmopolite, et le tout aussi artiste et célèbre Plateau Mont-Royal dont il fait partie, terre d'élection des jeunes expat's français. Notre-Dame-de-Grâce et ses maisonnettes anglaises en rangée. Le Vieux-Montréal, son look Empire britannique, les silhouettes trapues et zébrées de rouille de six silos à grain égrenés dans le Vieux-Port comme pour mieux rappeler la grandeur industrieuse de la ville. Rosemont-La Petite-Patrie, ses marchés, ses jardinets italiens, ses vieux assis sur les bancs publics, comme au village. Hochelaga-Maisonneuve, ses ruelles jonchées de seringues, ses bouges à tatouage et, dès qu'on s'éloigne des rues principales, ses maisonnettes nées du mouvement utopique City Beautiful, lequel a donné, au début du XXe siècle, à l'ouest, chez les Canadiens anglais, la verdoyante cité-dortoir Town of Mount-Royal et, à l'est, chez les Canadiens français, la ville de Maisonneuve. Outremont BCBG, ses opulentes demeures élues par la bourgeoisie canadienne-française au XIXe siècle, mais aussi ses rues plus populeuses sur la frange est du quartier, ses hassidim à redingote tout droit sortis du *shtetl*, ses cafés branchés. Le quartier ouvrier de Pointe-Saint-Charles, ses bicoques, ses rues brûlantes en été, ses usines reconverties en boîtes de pub ou de production télé, ses promoteurs immobiliers qui flairent la bonne affaire, le canal Lachine sillonné de cyclistes. Le village Shaughnessy, qui n'a plus de village que le nom, et où subsistent quelques belles « folies » victoriennes dans une sorte de no man's land urbain en attente d'être revitalisé. La rue Jean-Talon, ses boucheries hallal, ses échoppes aux couleurs du Proche-Orient ou de l'Afrique. L'énumération pourrait être sans fin, tant Montréal se pulvérise, le plus souvent avec bonheur, dans l'esprit de ses habitants... Et se dérobe d'autant au regard du voyageur pressé.

Une ville utopique

Par conséquent, où débusquer le génie du lieu ? Pour le poète, essayiste et médecin psychiatre Joël Des Rosiers (*Lettres à l'indigène*, 2009 ; *Gaïac*, 2010, Triptyque), Montréal est une ville qui flotte, littéralement. « Elle me rappelle les villes utopiques d'Italo Calvino », dit-il, dans un café situé à l'extrémité est de l'avenue du Mont-Royal, là où la branchitude du quartier s'effiloche et laisse place à la culture populaire. « Montréal est une ville flottante en raison de son insularité et de sa fragilité. Les gens la quittent, l'abandonnent, d'autres métèques arrivent, elle se renouvelle constamment. Les bras du fleuve, en hiver, la prennent en étau, elle va craquer, dirait-on. Mais non, elle résiste. Montréal est étrangère au reste du Québec, elle ne le représente pas, ne l'a jamais représenté. Montréal est une ville d'égarés. À une époque, les Canadiens français eux-mêmes venaient des régions pour y tenter leur chance. Et puis sont venus des gens de partout. À Montréal, il y a de tout. Il y a des mélanges. Et il n'y a pas de racisme », ajoute celui qui y est arrivé à l'âge de 9 ans, avec sa famille, en provenance d'Haïti.

Sur le plan historique, Montréal est la créature hybride des cultures française et anglaise, qui n'ont pas toujours fait bon ménage en Amérique du Nord, tout en se mêlant bel et bien. La composante autochtone de la ville, longtemps occultée – avant Montréal, le site a accueilli la bourgade d'Hochelaga, désertée, les historiens ignorent pourquoi, par les peuples iroquoiens qui y faisaient du commerce avant que les Français y fondent Ville-Marie, en 1642 –, est de plus en plus intégrée à la mémoire collective, suivant en cela un processus de réhabilitation indigène également à l'œuvre en Australie, aux États-Unis, en Bolivie, au Mexique, au Canada, en Équateur...

Du coup, Joël Des Rosiers voit Montréal comme une ville sous tension, au sens positif – électrique – du terme. C'est une ville qui n'est pas habitée d'angoisses identitaires, affirme-t-il, sans méconnaître pour autant son histoire linguistique. Montréal est en effet la deuxième ville française au monde, après Paris, et française, elle entend bien le demeurer, y compris pour ceux des Montréalais francophones, nombreux, qui ne voient pas l'anglais comme une menace et voient dans le bilinguisme un atout, et *a fortiori* pour ces autres qui voient plutôt dans le bilinguisme le cheval de Troie d'une anglicisation à l'œuvre dans les autres provinces du Canada et dans certains États américains au passé français révolu. Débat, débat.

Une ville de déni

Nous voici au Quartier latin, qui se déploie autour de l'université du Québec à Montréal (UQÀM). C'est là qu'enseigne Jean-François Chassay, romancier (*Sous pression*, Boréal, 2010) et essayiste (*Dérives de la fin. Sciences, corps et villes*, Le Quartanier, 2008). Ce professeur de littérature s'intéresse à l'imaginaire des villes et aux avant-gardes littéraires américaines. « Montréal est une ville de déni », commente-t-il, dans son petit bureau à l'université, ce en quoi il voit une raison supplémentaire d'aimer y vivre. Déni ? « Pendant longtemps, ses élites ont nié la dimension américaine de la ville ; les francophones ont nié l'importance des anglophones dans l'identité de la ville ; les anglophones ont nié l'existence des francophones ; les francophones ont nié la présence d'une littérature anglophone à Montréal ; les anglophones ont nié la valeur intellectuelle des francophones. Etc. Ces dénis sont intéressants parce qu'ils font de la ville un lieu de douleurs et de débats. Ce qui n'empêche pas Montréal d'être aujourd'hui la ville la plus trilingue des Amériques. »

Si l'anglais et l'espagnol dominent à Miami, l'anglais et le cantonnais à Vancouver et si quelque 170 langues sont parlées par les 8,4 millions de New-Yorkais que l'anglais fédère, à Montréal, en effet, trois langues dominent. Le français d'abord, parlé à la maison par 54,2 % des habitants sur le territoire de l'île, suivi de l'anglais par 25,2 % d'entre eux, selon les données de Statistique Canada (recensement de 2006) et un rapport du gouvernement québécois (*Le Français langue commune*, rapport du comité interministériel sur la situation de la langue française, 1996). Enfin l'espagnol de plus en plus ces dernières années, puisque 12 % des immigrants de Montréal sont actuellement d'origine latino-américaine, selon les données (non validées scientifiquement) fournies par l'organisme Diversité artistique de Montréal et son répertoire des ressources hispanophones de Montréal. À ces trois langues de prédilection de la métropole s'ajoutent l'allemand, le russe, l'italien, le grec, les dialectes arabes, le mandarin, les langues kabyles, le créole, le farsi, et tant d'autres. À la Montréal bipolaire d'antan a succédé une Montréal multipolaire. Nombreux sont ceux qui s'en réjouissent.

Montréal est étrangère au reste du Québec, elle ne le représente pas, ne l'a jamais représenté. Montréal est une ville d'égarés.

Jean-François Chassay est né dans l'une des banlieues proches de Montréal – excroissances résidentielles qui n'ont rien du ghetto social, tout en tenant souvent du désert culturel, ou presque. Installé à Montréal pour ses études il y a trente ans, il s'est depuis profondément attaché à cette grande ville capable d'être conviviale sans verser dans la promiscuité. « Récemment, raconte-t-il, je lisais un article d'un journaliste de Boston venu couvrir le Festival de jazz à Montréal et qui disait avoir ressenti une impression étrange après trois ou quatre jours passés à déambuler en ville et qu'il n'arrivait pas à définir. Puis il a compris : il n'y avait pas de policiers dans les rues. Dans toute grande ville américaine, expliquait le journaliste, ce genre d'événement et de foule aurait été potentiellement source de tensions et aurait donné lieu à un déploiement très visible des forces de police. À Montréal, rien de tel. Même si les policiers sont bien sûr présents dans la rue, je pense pour ma part que la convivialité propre à la ville finit par l'emporter. Après les attentats du World Trade Center, ceux de Londres ou de Madrid, les grandes villes sont souvent perçues comme des lieux chaotiques, qui nourrissent un imaginaire de la fin. Montréal, elle, apparaît comme une ville paisible. Trop paisible pour être la cible d'un attentat, pourrait-elle croire, même si, en tant que métropole, elle reçoit l'écho de telles inquiétudes. Comme quoi un autre déni se met en place : illusion intempestive et qu'il est tracé par l'humour et la sympathie des uns et des autres pour cette invraisemblable tentative de vivre-ensemble. À New York, au contraire, tous les possibles semblent présents, mais toutes ces attentes ne font que confirmer toutes les impossibilités de la vie de chaque jour. On aime Montréal comme un drap de lit [...]. On aime New York comme une fournaise [...], comme un enfer vivant [...]. Froid de la vie – mais de la vie réelle à Montréal. Chaleur de l'existence – mais mortelle – à New York. »

Montréal en drap de lit ? ! L'image a quelque chose de rassurant, voire de timoré. « Montréal a beaucoup de charme, reconnaît Jean-François Chassay, dans son bureau à l'UQÀM, mais on a souvent l'impression que son grand potentiel attend encore d'être réalisé. Cela est visible dans le domaine culturel et ses grandes infrastructures. Il faut toujours beaucoup de temps pour que les choses se fassent, et c'est agaçant de devoir se battre pour les faire arriver. Combien d'années de discussion a-t-il fallu pour donner enfin une salle à l'Orchestre symphonique de Montréal ? » Réponse : trente ans, puisque le projet était déjà à l'étude au début des années 1980.

« Dans les années 1980, poursuit-il, Montréal était une ville de choix pour le cinéma de répertoire. Ce n'est plus le cas aujourd'hui, alors que les salles se raréfient comme on l'a vu avec la réorientation du Complexe Ex-Centris [sur cette réorientation qui fit beaucoup jaser, voir dans ce numéro «synthétique cité : les arts médiatiques à Montréal » page 25, *Ndlr*]. Et la vie intellectuelle y est souvent frustrante. » « Montréal, met en garde Joël Des Rosiers, comme en écho, doit faire attention à ne pas devenir une ville provinciale. Toronto est déjà entrée dans le XXIIe siècle, pourrait-on dire. Sur le plan économique et de l'architecture grandiose, Montréal ne peut pas tutoyer Shanghai. Or l'architecture est un *statement,* même si à Montréal, ça ne se passe pas ainsi. L'extérieur de la Grande Bibliothèque est pour moi une occasion ratée. Il fallait être plus audacieux. On a réaménagé le Vieux-Port et ouvert de belles perspectives. Hélas, le palais de justice, il faudrait le démolir ! Le musée Pointe-à-Callière est une catastrophe sur le plan architectural. La Cinémathèque québécoise est une pure réussite. »

À Montréal, il y a de tout. Il y a des mélanges.

Montréal comme une ville où se croire à l'abri. »

Montréal serait donc le lieu privilégié où habiter le monde tel qu'il va, tout en se croyant préservé des fureurs de la planète, et vivre à fond l'Amérique. « Ce qui fait aussi la spécificité de Montréal, estime d'autre part Joël Des Rosiers, c'est sa sauvagerie latente. À Paris, vous êtes civilisé d'emblée, car il y a les musées, les monuments, l'histoire et tout. À Montréal, il y a cela, mais il y a aussi des ratons laveurs et des bestioles de toutes sortes, à cause du Nord, tout près. La sauvagerie rôde. Et puis, il y a les bas-fonds, les bouges, les bouis-bouis. À 24 ans, mon meilleur ami était prof de philo au collège et sa femme, danseuse topless. Ça ne semblait pas lui poser de problème de passer de la lecture d'Althusser aux bars de danseuses nues. C'est aussi ça, Montréal. »

La métropole version soft

Plusieurs ouvrages ont paru et continuent de paraître sur la ville des bords du Saint-Laurent, dessinant ses contours mythologiques. Montréal, écrit le sociologue, écrivain et peintre Alain Médam dans une étude qui a fait date (*Montréal interdite,* Liber, 2004 [1978], p. 140-141), « constitue sans doute une figure ironique, douce, silencieuse, soft, de toutes les "misères du monde", de toutes les contradictions sociales, de tous les exils, de tous les "désirs d'être", malgré tout. Condensé de tous les impossibles, de toutes les limitations entre quoi, pourtant, les possibles de la vie quotidienne se font un chemin d'autant plus aimé, d'autant plus ému, qu'il est plus modeste, qu'il est sans

On aura compris : à ce jeu de cubes, chacun opposera ses goûts et ses propres combinaisons, et il y a un moment déjà que la tour du musée Pointe-à-Callière, dite l'Éperon, clin d'œil contemporain à l'édifice qui s'élevait jadis sur ces lieux, n'étonne plus les Montréalais. Il n'empêche, regrette Jean-François Chassay, « il semble difficile de penser la ville sur un plan systémique. Les initiatives ont du mal à s'arrimer les unes aux autres. Il se passe beaucoup de choses à Montréal, mais il y a aussi beaucoup de lenteur. »

De manière plus philosophique, plus ambitieuse aussi, Joël Des Rosiers voit dans Montréal une ville où prendre le risque d'une

humanité nouvelle, perspective que les villes européennes lui semblent incapables d'envisager. Aussi laissons-lui le mot de la fin. Pour l'auteur de *Théories caraïbes. Poétique du déracinement* (Triptyque, 1997), il n'entre aucun grand soir dans cet appel à une humanité nouvelle, qu'il définit comme une humanité « qui n'est pas oublieuse de la fonction du passé, mais a réfléchi à la violence constitutive qui est la sienne ». Pas plus qu'il n'entre aucun rêve révolutionnaire et, partant, aucune future désillusion. Plutôt un pari. « L'Europe, raisonne-t-il, s'est construite sur une ambivalence : les Lumières et le nihilisme. Il faut remonter à Héraclite pour comprendre pourquoi l'Europe a donné à la fois Athènes, Rome, Hitler, les génocides, l'esclavage. En tant que Nord-Américains, nous avons hérité de tout cela. Notre seule chance est de savoir comment dépasser cette ambivalence dont nous sommes à la fois acteurs et spectateurs. Nous sommes porteurs de cette charge et contraints de ne plus la transmettre. Nous éprouvons la douleur de l'Europe, mais depuis un lieu stimulant, Montréal, en Amérique, où il est possible de dépasser le modèle. »
Montréal, à nous deux.

Marie-Andrée Lamontagne

p. 6 : Le centre-ville de Montréal vu depuis le belvédère du mont Royal.

p. 10 : Les quais du Vieux-Port.

Waterhouse

FESTIVALS À GOGO :
LES MONTRÉALAIS ET LA CULTURE

Au centre-ville de Montréal, il existe un territoire couvrant un peu plus d'un kilomètre carré où l'activité culturelle est particulièrement concentrée : 28 salles de spectacle, 80 lieux de diffusion artistique y tissent, saison après saison, les riches heures de la vie culturelle montréalaise. C'est le Quartier des Spectacles, nom officiellement donné depuis peu à un quadrilatère où la culture se décline sur le mode effervescent.

Le métro, station Place-des-Arts, est le plus sûr moyen d'accéder au Quartier des Spectacles. Et pour cause : la voiture n'est heureusement pas la bienvenue dans le secteur, où, entre grues et échafaudages, se faufilent piétons et vélos en libre-service (« Bixis », à Montréal). C'est que le secteur avoisinant la Place des Arts (important complexe de salles créé en 1963) est en pleine transformation jusqu'en 2012, date fixée pour la réalisation de la dernière des quatre phases d'un projet ayant nécessité des investissements publics de 140 millions de dollars.
C'est peu de dire que le quartier se transforme. L'aménagement des deux grands lieux publics que sont la Place des Festivals et la Promenade des Artistes est terminé. Il reste à refaire une beauté à la rue Sainte-Catherine et à mettre en place l'Esplanade Clark, respectivement troisième et quatrième phases du projet. À l'automne 2011, le chef Kent Nagano battra la mesure devant l'Orchestre symphonique de Montréal (OSM), tout juste installé dans ses nouveaux meubles à l'Adresse symphonique, suivant le nom donné à la nouvelle salle de concert attribuée à l'orchestre. La Place des Arts, où jouait jusque-là l'OSM, s'est lancée dans un chantier qui a vu récemment le vestibule d'entrée souterrain se transformer en grand foyer culturel, vers où peut converger le public. Quant au musée d'Art contemporain, il devrait trouver, en voisin, un second souffle dans la revitalisation du quartier. Déjà des restaurants branchés ont fait leur apparition et affichent souvent complet.
L'Adresse symphonique est l'un des multiples projets privés qui ont choisi de s'installer dans le Quartier des Spectacles. Sont ainsi en cours de réalisation, à des stades divers, la Vitrine culturelle 2-22 (sorte de super-syndicat d'initiative de la culture montréalaise) et la Maison du Festival de jazz. En outre, le Quartier des Spectacles s'est doté d'un plan-lumière, qui entend jouer avec l'éclairage nocturne de mille façons et, au premier chef, en faisant se dresser une série de lampadaires surdimensionnés, aux silhouettes étonnantes. Il faut y voir sans doute la volonté de Montréal de ne pas faire mentir son titre de ville Unesco du design, décerné en 2006, moins une récompense qu'un pari sur l'avenir, comme en témoigne le chantier mis en place, en 2009, sous le titre « Réalisons Montréal, ville Unesco de design », qui doit canaliser diverses initiatives liées à l'architecture et au design.
Ce n'est pas le seul titre de gloire que revendique Montréal sur le plan culturel. Celui de Montréal métropole culturelle, dont l'idée a germé en 2007 et fédéré différents acteurs du milieu culturel – privés et publics – devrait devenir réalité en 2017, suivant l'ambitieux et volontaire plan directeur auquel elle a donné lieu. Autre titre, cette fois autoproclamé : Montréal, ville des festivals, dont le Quartier des Spectacles se veut le point d'ancrage assumé. Dans le monde des signatures urbaines et de l'image de marque, ce dernier titre n'est pas usurpé, hélas, s'agissant de Montréal, qui aligne, annuellement, une centaine de festivals et événements de tout acabit, dont 50 soutenus par le très officiel Bureau des festivals, qui accorde aux heureux organismes élus 4 millions de dollars en aide financière et autant en soutien technique.
Les plus gros d'entre eux, les plus anciens, les plus bruyants, aux machines bien rodées, certains ayant déjà suscité la réplique

d'un off, tous estivaux – le Festival international de jazz, créé en 1979, le festival Juste pour rire, en 1983, les Francofolies, en 1989 –, ne sauraient faire oublier la pléthore de festivals aux dimensions plus modestes, qui se déroulent à divers moments de l'année, en occupant des créneaux plus risqués (voir l'encadré p.15) et appellent à la reconnaissance, légitime, puisque le public est au rendez-vous. C'est que les Montréalais qui s'intéressent aux arts sont plutôt curieux.
Et les touristes, des chalands tout désignés. Présenté en octobre 2010, le plan stratégique de l'organisme indépendant Tourisme Montréal entend faire du tourisme culturel un atout majeur de la ville. Cependant, fait à noter, si les festivals ont longtemps eu la part belle dans l'argumentaire mis au point, l'organisme compte dorénavant miser autant sur les programmations régulières des musées, des compagnies de théâtre et des salles de spectacle, susceptibles de figurer en tant que telles dans les attraits culturels de la ville. Faut-il y voir un salutaire retour de balancier ?

« Ce qui caractérise Montréal, explique Brault, c'est que la vie culturelle y repose sur une foule de compagnies artistiques de moyennes et petites dimensions. L'OSM et le musée des Beaux-Arts de Montréal mis à part, toutes les compagnies montréalaises entrent dans ces deux catégories, alors qu'à Toronto, la répartition se fait plutôt entre les très grandes compagnies et les petites. Du coup, Montréal a une plus grande capacité de réaction en cas de fluctuations économiques. En outre, ces compagnies sont présentes sur l'ensemble du territoire montréalais. Enfin, il y a à Montréal un parti pris pour la création contemporaine. La scène musicale underground, les arts visuels, la littérature, la poésie, le *spoken word* témoignent d'une vitalité que beaucoup lui envient. Les coûts de production d'un spectacle à Montréal sont plus bas que dans les autres grandes villes. Les lieux sont peu réglementés. Et puis, il y a des gens formés, expérimentés, dans tous les domaines, ce qui fait de Montréal un véritable vivier. »
Professeur à l'École des HEC, de l'université de Montréal, François Colbert est titulaire d'une chaire en gestion des arts et l'auteur et directeur d'un ouvrage collectif, *Le Marketing des arts et de la culture* (Gaëtan Morin Éditeur, 1994 pour la première édition), qui fait autorité dans les milieux de l'enseignement. L'omniprésence des festivals dans la culture lui semble un phénomène observable dans l'ensemble des pays industrialisés, une réponse à l'offre pléthorique – aussi bien dire un symptôme. « Mes amis artistes ne m'aiment pas quand je dis cela, explique-t-il, mais il faut savoir que le marché culturel plafonne depuis dix ans. Pour la plupart des gens, l'art et la culture relèvent des loisirs, dont le choix dépend de deux variables : l'argent et le temps. Dans l'après-guerre, le boom dans l'éducation supérieure a fait que le marché des loisirs a quintuplé, dépassant même, en 1975, celui du sport en termes d'entrées et d'argent. L'État aidant, les pays industrialisés ont pu se permettre d'encourager l'offre culturelle. Simultanément, davantage de jeunes gens, éduqués, se sont sentis appelés par la vocation artistique et ont fait en sorte de recevoir une formation dans leur domaine. Cette période est terminée. Dans les pays industrialisés, la population n'augmente plus, le temps consacré au loisir non plus, ni les revenus disponibles. Les jeunes diplômés du Conservatoire se heurtent à un horizon bouché. Ils créent alors leur quatuor ou leur compagnie de théâtre. Résultat : il y a trop de produits culturels par rapport à ce que le marché peut absorber. Le festival, et plus généralement la notion d'événement, devient alors un repère pour le public confronté à la nécessité de faire des choix. » De quoi refroidir les ardeurs des plus convaincus.
Et pourtant, en ces temps de choléra pour les artistes – et de bonheur pour le public –, l'auteur de théâtre Olivier Kemeid,

Ce qui caractérise Montréal, c'est que la vie culturelle y repose sur une foule de compagnies artistiques de moyennes et petites dimensions.

L'arbre des festivals, la forêt des arts

Depuis Philippe Muray, on sait que le rapport festif à la culture est un trait de nos sociétés contemporaines qui se manifeste à Paris comme à Édimbourg, à Berlin comme à Toronto. À Montréal, où l'offre festivalière prend les proportions que l'on sait, l'arbre des festivals ne cacherait-il pas la forêt des arts ? Pis : ne l'étoufferait-il pas ? Simon Brault, qui enseigne à l'École nationale de théâtre, est président de Culture Montréal, actif lobby qui défend la présence de la culture dans tous les aspects de la vie quotidienne. Il est aussi l'auteur d'un essai (*Le Facteur C*, éd. Voix parallèles, 2009) qui, s'inspirant des thèses de l'Américain Richard Florida, fait de la culture la voie d'avenir des grandes métropoles. Montréal a bien reçu le message. Culture Montréal est d'ailleurs aux premiers rangs dans le projet qui consiste à faire de Montréal une métropole culturelle au même titre que Barcelone, Lyon ou Berlin.
Les festivals, rappelle-t-il, sont des diffuseurs, et « n'ont aucun avenir sans la vie culturelle qui se déroule dans cette ville. D'ailleurs, eux-mêmes se rendent compte qu'ils ont besoin de renouveler leurs publics et leurs esthétiques. » Culture Montréal insiste pour ne pas concentrer toute la vie culturelle dans quelques quartiers et se veut un champion de la démocratisation culturelle. Si l'on considère, avec Simon Brault, que seulement 11 % des Montréalais ont assisté à un concert classique au cours de la dernière année, le moins qu'on puisse dire, c'est que, si l'offre est attrayante, il y a des progrès à faire du côté de la demande.

un temps directeur artistique d'Espace libre, un des lieux de diffusion du théâtre expérimental parmi les plus dynamiques à Montréal, croit à la nécessité d'une création non festive, qui avance à tâtons. En 2002, frais émoulu du Conservatoire, il a créé sa propre compagnie de théâtre, appelée Trois Tristes Tigres, salut amical à l'écrivain cubain Guillermo Cabrera Infante. « Montréal est un laboratoire, dit-il. Oui, il y règne une effervescence et un bouillonnement et je ne suis pas de ceux qui disent que les gens ne sont pas au rendez-vous. Espace libre a un taux de fréquentation correspondant à 80-85 % de sa capacité. Ce n'est pas négligeable. Mais on ne peut pas comparer Montréal à Berlin ou à Bruxelles. Ici, l'État, mis à part le Centre national des arts, à Ottawa, n'a pas créé de théâtre. Tous les théâtres ont été fondés par des gens. Et ceux-ci ont choisi, lors des États généraux du théâtre, de se constituer en une immense classe moyenne, au détriment de grandes structures. Résultat : l'État, qui n'a plus d'argent, saupoudre ses aides. C'est très québécois, ce refus de la hiérarchie, et aussi, d'ailleurs, de croire à une adéquation entre l'authenticité et le talent. » Olivier Kemeid cite Jean-Luc Godard : « La culture, c'est la règle ; l'art, c'est l'exception. » Montréal devra-t-elle choisir ?

Marie-Andrée Lamontagne

p. 12 : Défilé de la fête du Canada chez les Chinois de Montréal.

Quelques festivals montréalais parmi la centaine répertoriée

Festival TransAmériques (théâtre et danse) : mai, juin.
Festival du monde arabe (musique, danse, littérature) : novembre.
Le Fringe (théâtre underground) : juin.
Festival international de littérature (littérature et scène ; en français) : septembre.
Festival Métropolis bleu (littérature ; multilingue) : avril.
Festival international des films sur l'art (FIFA) : mars.
Festival des films du monde : août, septembre.
Festival du nouveau cinéma : octobre.
Les Rencontres internationales du documentaire : novembre.
Vues d'Afrique (cinéma) : avril, mai.
Festival du cinéma latino-américain : avril.
Fantasia (cinéma de genre) : juillet.
Elektra et Mutek (musique électronique et arts numériques) : respectivement mai et juin.
Festival pop (musique pop) : octobre.
Festival Orgues et Couleurs (musique classique) : septembre, octobre.
Festival de musique de chambre : mai.
Festival Bach : novembre, décembre.
Les Escales improbables (performances, installations, happening, musique) : septembre.
Meg Montréal (musiques actuelles) : juillet, août.
Présence autochtone (art des Premières Nations) : juin, juillet, août.
Le Marché de la poésie : mai.
Les festivals de Lanaudière et d'Orford (musique classique) **à la périphérie de Montréal** : juillet, août.

SUSIE ARIOLI :
la musique pour tout langage

À Montréal, comme sur plusieurs scènes nord-américaines, sa voix chaude a caressé plus d'un fan de jazz et de blues. En 1998, le Festival international de jazz de Montréal propulse Susie Arioli vers la célébrité, alors qu'elle doit remplacer au pied levé Charles Brown en première partie du spectacle de Ray Charles. Depuis, l'histoire d'amour se poursuit avec Montréal, ville de jazz depuis toujours, on dirait bien.

Au tout début des années 1960, alors qu'elle était enfant, et qu'elle vivait dans l'ouest de Montréal, la chanteuse de jazz Susie Arioli, coqueluche ces dernières années du public montréalais, savait à peine que sa ville était une ville de langue française. « Je veux dire : j'avais appris le français à l'école, mais quand les gens me parlaient en français dans la rue, je ne comprenais rien », raconte-t-elle aujourd'hui dans un français fortement métissé d'anglais.

Puis sa famille déménage sur le Plateau Mont-Royal, à l'angle des rues Saint-Urbain et Rachel, en plein quartier francophone. La jeune fille perfectionne son français, et déjà, à cette époque, fait de la musique. Mais c'est dans sa « postadolescence », comme elle dit, que Susie Arioli s'est mise à fréquenter la bohème de Montréal. Elle hante le Rising Sun, bar de jazz autrefois situé rue Sainte-Catherine, à côté du Spectrum, lui-même aujourd'hui démoli. « C'est là que j'ai vu Big Mama Thornton chanter "I'm Just a Hound Dog", pièce qu'elle a interprétée la première et qui a été popularisée ensuite pour le public blanc par Elvis Presley. C'était une femme formidable, bisexuelle, grande et grosse », se souvient Susie Arioli.

La jeune fille, qui chante déjà à l'occasion dans les bars, fait la connaissance du Stephen Barry Band, qui l'accompagnera souvent par la suite. Dans les clubs, au Rising Sun comme aux Foufounes électriques, quelques rues plus loin, la vie se déroule alors en français et en anglais. « Dans le monde de la musique, c'est impossible de travailler strictement dans une langue », rappelle Arioli.

C'est avec Jordan Officer, compagnon à la ville pendant de nombreuses années et, encore aujourd'hui, partenaire professionnel, que Susie Arioli renoue avec la musique dans les années 1990, après une brève interruption. Tous deux interprètent alors des classiques du jazz au Bistro à Jojo, rue Saint-Denis, où Susie Arioli s'émeut de voir de grandes brutes de motards rêver sur des mélodies douces et mélancoliques. Puis vient 1998 et le Festival international de jazz de Montréal. Cette année-là, le couple Arioli-Officer a beaucoup de succès sur l'une des scènes extérieures. C'est pour cette raison sans doute que le Susie Arioli Band est invité à remplacer au pied levé Charles Brown, en première partie du spectacle de Ray Charles, à la Place des Arts. S'ensuit un premier album, *It's Wonderful,* où Arioli et Officer continuent d'explorer les classiques de jazz, elle de sa voix chaude, lui avec ses interprétations sensibles à la guitare, et qui remporte un franc succès en France comme au Canada et aux États-Unis. Quelque sept albums plus tard, le couple n'existe plus à la ville, mais le succès du tandem musical ne se dément pas. Le prouvent *Night Lights* et *Christmas Dreaming,* leurs plus récents albums, dont l'emblématique « Can't We be Friends ? », première pièce du premier CD, est un clin d'œil à ce qu'ils furent, sont et seront.

Caroline Montpetit

Mariette R., 21 ans, caissière
par Marc
Robert R. 24 ans, concierge
par Véronique
Rene R., 17 ans, Bus boy
par Vincent
Edgar R.
by Marko

Au chapitre des arts visuels, Montréal pourrait facilement se faire avaler par un milieu new-yorkais très riche et à moins d'une heure d'avion... Heureusement, la spécificité de la scène montréalaise la protège de l'uniformisation culturelle et en fait peut-être un modèle de résistance.

À L'ABRI DU GÉANT NEW-YORKAIS ?

LES ARTS VISUELS À MONTRÉAL

Sur le plan artistique, Montréal est la ville la plus dynamique du Canada. Ce n'est pas là un slogan. En février 2010, le groupe Hill Stratégies Recherche publiait une étude montrant que « la concentration globale d'artistes à Montréal (1,5 %) est [...] presque le double de celle du Canada (0,8 %) » et que les travailleurs culturels y représentent « 6,4 % de l'ensemble de la population active » (Kerry Hill, « Cartographie des artistes et des travailleurs culturels dans les grandes villes du Canada. Étude préparée pour les villes de Montréal, Ottawa, Toronto, Calgary et Vancouver, basée sur les données du recensement de 2006 »).

Il n'empêche : New York est l'une des grandes capitales de l'art contemporain et ce voisin, à la fois fascinant et encombrant, n'est pas sans faire de l'ombre à Montréal. Dans ces conditions, que veut dire « dynamisme » et quelle forme prend-il ? La réponse est à la fois d'ordre esthétique et structurel.

La création à Montréal est dynamique et emprunte bien des voies d'expression, mais il en est une, en particulier, qui marque encore plus significativement son histoire récente.

Identité et photographie

Le Québec (tout comme le Canada) est depuis longtemps une société en quête d'identité. La photo ainsi que le cinéma documentaire, entre autres disciplines, ont été une manière, pour cette société, de se représenter. Montréal est donc devenue un lieu de création important pour la photo, ce que traduit du reste, depuis 1989, la Biennale du mois de la photo, à vocation internationale. Quelques noms pour se convaincre de la richesse de Montréal dans ce domaine ? Gabor Szilasi a été, depuis les années 1950, un des pionniers de l'école photographique qui interroge l'identité. Après lui, Raymonde April a travaillé sur la notion d'autobiographie et sur l'intime, tout comme par la suite Yan Giguère et Ève K. Tremblay. Clara Gutsche a posé un regard engagé à la fois sur les démolitions survenues dans l'ancien quartier Milton-Park et sur la mémoire collective. Geneviève Cadieux travaille sur le thème du corps intime en tant que construction. Evergon a interrogé l'imaginaire (en particulier homosexuel) associé au corps. Alain Paiement a mis au point des installations photographiques mettant en scène la mémoire de lieux. Pascal Grandmaison s'est fait le portraitiste des jeunes Québécois. Emmanuelle Léonard, tout comme Caroline Hayeur et Benoît Aquin, a renoué avec la photo documentaire de l'époque de Pierre Gaudard.

Toutefois, le dynamisme artistique de Montréal n'est pas seulement observable en photo (ou dans d'autres moyens d'expression). Si Montréal est si dynamique dans les arts visuels, c'est qu'elle bénéficie de lieux d'expression privilégiés, d'un réseau de centres d'artistes autogérés. Dans ces centres, apparus vers la fin des années 1960, ce sont les artistes membres qui décident de la répartition des budgets et du choix des expositions. À Montréal, il en existe une vingtaine, tous financés par les trois échelons gouvernementaux (fédéral, provincial et municipal). Ces lieux ont été les pépinières de bien des jeunes créateurs maintenant reconnus : Massimo Guerrera, Mathieu Beauséjour, Valérie Blass... Parmi les plus anciens : le Centre Optica et La Centrale, qui se veut « une plateforme pour les langages en art

actuel porté par les discours féministes, les théories du genre, la diversité culturelle et la transdisciplinarité ».
Les centres d'artistes autogérés sont les lieux d'une vie culturelle très active qui aide quelque peu Montréal à se protéger des effets pernicieux du marché new-yorkais. Ce qui n'empêche pas bien des artistes québécois de tenter leur chance à New York en y ouvrant un atelier (récemment Ève K. Tremblay, Marc Séguin, Mathieu Lefevre), ou en se faisant représenter par des galeries new-yorkaises (Jean-Pierre Gauthier et Pascal Grandmaison, à la Jack Shainman Gallery). À Montréal, les galeries privées sont certes moins florissantes qu'à New York ou à Toronto, et le marché de l'art, réduit à une grosse poignée de collectionneurs ; du moins, les centres d'art appuient la création d'artistes peu commerciaux qui auraient peu de visibilité sans cela.

Des effets en chaîne

Comme dans beaucoup de villes, les lieux de création ont revitalisé nombre d'édifices et de quartiers. Il en va de même à Montréal, avec les centres d'artistes. Ainsi l'édifice Belgo, au centre-ville, réunit plusieurs centres d'artistes (Optica, Skol, B-312, Circa, Les Territoires, SBC...) et galeries (René Blouin, Roger Bellemare, Joyce Yahouda, Pierre-François Ouellette, Lilian Rodriguez, Donald Browne, Art45, [sas], Laroche/Joncas...), chaque entité pourvue d'une identité propre. De même, dans le très artiste quartier Mile-End, d'anciens commerces ou manufactures sont investis par des centres d'artistes et des galeries (Clark, Atelier Circulaire, Articule, Occurrence, Simon Blais...).
En toute logique, bien des centres d'artistes alimentent les galeries d'art et les musées. Le musée d'Art contemporain et le musée des Beaux-Arts de Montréal (qui a une collection contemporaine impressionnante) ont réussi le tour de force, depuis une trentaine d'années, de faire parler d'eux à travers le pays et à l'étranger. Au musée des Beaux-Arts de Montréal, les directeurs Pierre Théberge, puis Guy Cogeval (devenu, depuis, directeur du musée d'Orsay à Paris) et, depuis 2007, Nathalie Bondil, ont fait croître la renommée de l'institution de la rue Sherbrooke en présentant à la fois des artistes internationaux et québécois, dont Jean-Pierre Gauthier ou Nicolas Baier (qui ont fait leurs premières armes dans les centres Skol et B-312 pour l'un, et Clark et Optica pour l'autre). Au musée d'Art contemporain, l'expo des œuvres de Pascal Grandmaison (qui s'était fait connaître en particulier au Centre Vox) ainsi que la récente Triennale québécoise d'art contemporain ont eu aussi un succès certain, pour ne rien dire des autres artistes ayant grandi dans ces centres : le trio BGL, Alexandre David, Lynne Marsh, Marie-Claude Bouthillier...

Évidemment, les centres autogérés ne suffisent pas à assurer les conditions favorisant la croissance d'artistes doués, susceptibles d'échapper à la logique marchande des circuits internationaux de l'art contemporain. D'autres facteurs d'ordre structurel contribuent au dynamisme artistique de Montréal. Depuis 1989, la ville de Montréal a un bureau d'art public, très actif, qui installe dans la cité des œuvres contemporaines – plus de 300. La collection comporte des créations de l'artiste états-unien Calder (*L'Homme,* œuvre installée à l'île Sainte-Hélène lors d'Expo67), du Français Daniel Buren (*Neuf Couleurs au vent,* bien en vue au parc Lafontaine), mais aussi des pièces d'artistes québécois dont deux de Michel de Broin : *L'Arc,* à la mémoire de Salvador Allende (à l'île Notre-Dame) et *Révolutions,* escalier sans fin (à la station de métro Papineau). La collection d'art public à Montréal comporte aussi des œuvres de Michel Goulet, Jocelyne Alloucherie... En outre, depuis 1961, le programme d'intégration des arts à l'architecture et à l'environnement des édifices du gouvernement du Québec alloue un certain pourcentage des coûts de construction des édifices publics à l'intégration d'œuvres d'art. Grâce à cette loi avant-gardiste (inspirée de programmes qui existent en Suède depuis les années 1930 et en France depuis 1951), une collection québécoise d'art public a pu être constituée, qui comprend plus de 2 500 œuvres de 800 artistes (Michel Saulnier, Melvin Charney, Roberto Pellegrinuzzi...).
L'État, à travers les divers Conseils des arts, ministères de la Culture (Québec) et du Patrimoine (Ottawa), soutient également certaines initiatives privées qui font la renommée de Montréal en matière d'arts visuels. L'une des plus importantes est certainement le Centre canadien d'architecture, de réputation internationale, fondé en 1979 par Phyllis Lambert, et qui a montré les réalisations d'architectes du monde entier, ainsi que du Canada et du Québec (Atelier Big City, atelier Braq, Atelier In situ, Bosses Design, Pierre Thibault...). Sans oublier la présence active de galeries d'art universitaires, la galerie de l'université du Québec à Montréal (UQÀM) et la galerie Leonard & Bina Ellen de l'université Concordia. Enfin, l'aide de l'État a également permis l'aménagement d'un espace critique au moyen de plusieurs revues d'arts (*Esse, Espace, ETC, CV, Spirale...*), même si les règles d'attribution des aides ont récemment été resserrées, à l'échelon fédéral, au grand dam des revues.
À l'heure de la mondialisation, et à l'ombre du géant états-unien, le marché des arts visuels à Montréal n'est pas assez solide pour pouvoir défendre une culture forte sans l'aide de l'État. Certes, le système n'est pas le paradis, puisqu'il est à la remorque des variations dans les budgets gouvernementaux

Les centres d'artistes autogérés sont les lieux d'une vie culturelle très active qui aide quelque peu Montréal à se protéger des effets pernicieux du marché new-yorkais.

selon l'opinion sur les arts qu'ont les différents partis politiques au pouvoir. Mais il permet de produire un art échappant à l'esthétique prônée par certains collectionneurs internationaux qui veulent de beaux et volumineux objets décoratifs pour leur maison ou leurs fondations.

Nicolas Mavrikakis

p.18 : Raphaëlle de Groot, *Portraits de clients,* 2007, photographies Polaroid
p.19 : Raphaëlle de Groot, *Mémoire X99-Y04.25*, 1999, intervention, stationnement de la place d'Youville, Montréal.

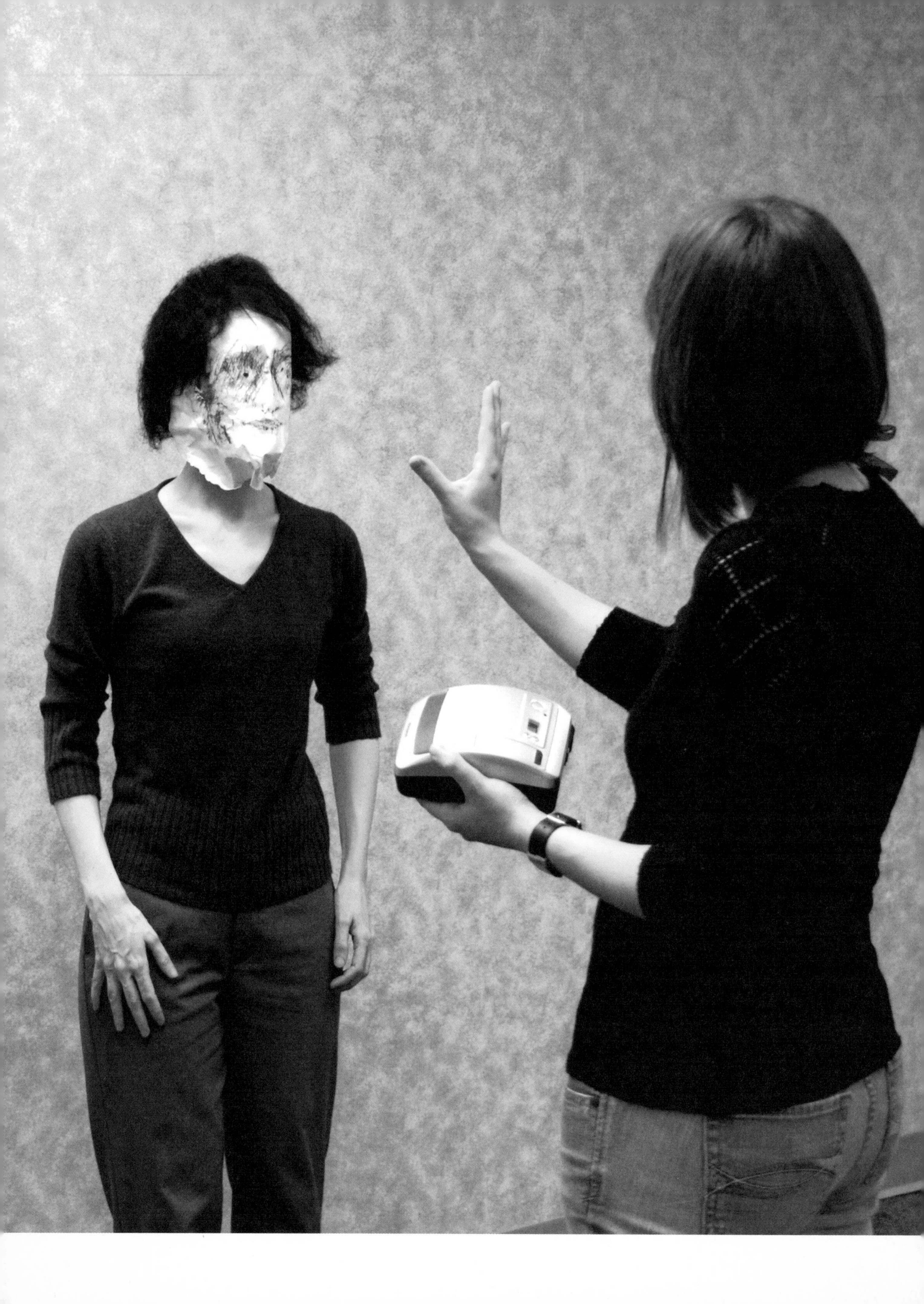

RAPHAËLLE DE GROOT :
des liens secrets

Elle est une sorte d'artiste-anthropologue-sociologue. Elle crée un art qui prend la vie et la mémoire comme matériaux. Depuis près de quinze ans, Raphaëlle de Groot utilise les arts visuels pour montrer un monde de valeurs peu visibles à l'œil nu.

Raphaëlle de Groot travaille sur le non-dit, l'oubli, les liens invisibles qui se tissent entre individus... Quelques exemples. Pour réaliser *Mémoire X99-Y04.25* (1999), elle a inscrit à la peinture sur le sol d'un parc de stationnement du Vieux-Montréal un texte évoquant les vestiges de l'hôtel du parlement du Canada (p.20-21), érigé à cet endroit et incendié en 1849 lors d'émeutes politiques. Pour *Plus que parfaites* (2001), elle a interviewé des « servantes, bonnes, *nannies* » ayant travaillé dans des maisons privées et a documenté leurs activités ainsi que les souvenirs des enfants qu'elles ont aidé à élever. Dans *Portraits de clients* (2007), à partir des fiches de clients trouvés dans une ancienne banque, elle a dessiné, sur des masques de papier placés sur son propre visage, les portraits de ceux-ci selon la lecture de ces fiches faite par le visiteur. L'artiste travaillait en fait sur l'idée que nous pouvons nous faire des gens selon le groupe d'âge auquel ils appartiennent, leur taille, leur métier... Pour *Dévoilements* (1998-2001), elle a rencontré des religieuses de la communauté des hospitalières de Saint-Joseph et leur a demandé d'effectuer une série de dessins tout en faisant leur portrait. Prétexte à une conversation... Mais l'artiste fixait une règle : le travail devait se faire à l'aveugle ! Du coup, le processus créatif devenait une métaphore des vraies rencontres dont on ne sait pas vraiment où elles vont vous mener.

Le travail de Raphaëlle de Groot a été montré à Montréal (entre autres lieux renommés, la galerie de l'UQÀM), mais aussi dans plusieurs villes au Canada, en France, en Italie, en Grande-Bretagne... Il s'agit là d'une œuvre multiforme qui refuse le recours à la formule et est toujours en train de se métamorphoser, car pour de Groot, être artiste, c'est « ébranler l'idée d'une réalité statique » et « travailler dans un mouvement qui recherche la désorientation et accepte l'inconfort ».

Nicolas Mavrikakis

p. 22 : Performance de Raphaëlle de Groot dans le cadre de son expo *En exercice* à la Galerie de l'UQÀM en 2006.

SYNTHÉTIQUE CITÉ : LES ARTS MÉDIATIQUES À MONTRÉAL

La caméra vidéo, puis l'ordinateur, ont ouvert un nouvel espace du possible, levant le rideau sur un théâtre des machines où opérations et interactions modifient les rapports entre les artistes, les œuvres et leurs publics. Entre cinéma et arts vivants, à un pixel près des arts visuels, les arts médiatiques évoluent dans un espace interstitiel, dont Montréal est un des foyers rayonnants.

En 2010, deux festivals consacrés à la musique et aux images électroniques, Mutek et Elektra, se partageaient le grand prix du Conseil des arts de Montréal, dont le lauréat précédent, plus traditionnellement, fut l'Orchestre symphonique de Montréal. Il s'agissait là d'une première pour le secteur des arts numériques. Le grand prix reconnaissait ainsi la portée internationale de Mutek et d'Elektra, qui offrent à leur public d'irréductibles une image de synthèse des tendances mondiales, tout en intégrant à leur programmation de nombreux artistes montréalais.
Si les arts médiatiques et numériques, issus de notre ère technologique, semblent aujourd'hui faire scission, c'est qu'on a tendance à les réduire à leur support : la vidéo, l'ordinateur et les machines apparentées. On gagnerait plutôt à envisager leurs artifices électriques comme un *moyen,* langage ou courant qui passe entre les arts et amenant à une réinvention perpétuelle.

Des lieux nouveaux pour des technologies nouvelles

Les arts médiatiques, en particulier lorsqu'ils débordent l'espace de la galerie, tendent à transfigurer le temps et l'espace urbains. Aussi un inventaire, même partiel, des lieux montréalais de création dans ce domaine est-il en soi éloquent. Les rythmes du festival Mutek résonnent entre les murs du Monument-National, bâtiment vénérable qui fit les beaux jours du théâtre montréalais au début du siècle dernier, et font vibrer le béton de la Société des arts technologiques (SAT), ancienne boucherie devenue, en 1996, un lieu de création et de réflexion autour des arts technologiques, doublé d'un club de nuit à vocation variable. Le festival Elektra, pour sa part, investit l'Usine C, lieu de création et de diffusion multidisciplinaire aménagé, depuis 1995, dans une ancienne usine du quartier Centre-Sud. Dernier venu dans l'espace néomédiatique montréalais, Eastern Bloc a récupéré un entrepôt à la lisière de Villeray, honorant ainsi son nom aux accents communistes.
Les arts médiatiques transcendent les frontières disciplinaires. De nombreuses productions, étrangères et nationales, invitées chaque année à Montréal au festival TransAmériques, consacré à la danse et au théâtre contemporain, mettent des dispositifs technologiques, souvent rudimentaires, au service de la dramaturgie. En fait, Montréal est constellée de théâtres potentiels qui, lorsqu'ils sont investis par les arts médiatiques, en sont transfigurés. Ainsi, quiconque s'aventure dans le port, aux confins du Vieux-Montréal, sera confronté à l'infranchissable muraille du Silo à grain n° 5, héritage du passé industriel de la ville. Il pourra prêter l'oreille et donner de la voix à un improbable instrument, le Silophone. Ses créateurs, [The User], l'architecte Thomas McIntosh et le compositeur Emmanuel Madan, ont installé leur atelier dans un ancien lave-auto du quartier Mile-End, rebaptisant leur collectif Undefined, « Productions indéfinies », beau qualificatif pour les inventions les plus vivantes du champ des arts médiatiques.
Le Silophone s'élève tout près de la Cité du multimédia, ancien quartier industriel repeuplé, dans les années 1990, à coups d'aides publiques accordées à des boîtes de postproduction en cinéma et télé. Un pan des arts médiatiques, à Montréal, flirte en effet avec l'industrie. L'Office national du film, Téléfilm Canada et la Société de développement des entreprises cultu-

relles (SODEC), en s'efforçant de soutenir la production d'œuvres médiatiques, ont tendance à privilégier les « producteurs créatifs » au détriment des créateurs eux-mêmes, qui doivent s'en remettre à la générosité des divers Conseils des arts pour parvenir à leurs fins. La création médiatique à gros budget se concentre donc sur la « convergence » Web ou « transmédiatique », en négligeant souvent les possibilités intrinsèques du médium au nom d'un idéal de marché, ou encore en mettant sur pied de vastes programmes d'archivage de contenu, au détriment des nouvelles créations d'auteur.
Ironiquement, les sociétés Ubisoft et Electronic Arts, basées à Montréal, ont réussi à prospérer là où le « multimédia » a failli. La loi du marché qui domine le jeu vidéo stimule les pontes de l'industrie et du financement public. Mais Montréal sait résister, et elle abrite, en plus de ces mégasociétés, plusieurs indépendants. Le collectif Kokoromi, installé à l'université Concordia, crée des jeux alternatifs à visée sociale. Réunis sous la bannière Hexagram, les départements des arts médiatiques de l'université du Québec à Montréal et de l'université Concordia sont une pépinière de groupes de recherche et d'action dans le domaine. De nombreuses initiatives non universitaires soutiennent les créateurs « à petite échelle », par exemple les Productions réalisations indépendantes de Montréal (PRIM) ou le Vidéographe, véritables viviers vidéographiques qui se risquent parfois du côté des nouveaux médias, ou encore le Studio XX, qui offre des ressources de réseautage et de création destinées aux « femmes branchées ».

Des lieux d'exposition improbables

Paradoxalement, les lieux d'exposition propres aux arts médiatiques se font rares à Montréal. L'espace tend à manquer aussitôt qu'on déborde des limites de l'écran. Le musée des Beaux-Arts de Montréal a toutefois accueilli, en 2007, une étonnante rétrospective des œuvres soutenues par la Fondation Daniel Langlois, *Les Vases communicants – E-art : nouvelles technologies et art contemporain*. Daniel Langlois a fait fortune après avoir vendu sa société, Softimage, à Microsoft. Devenu mécène, en 1996, il a mis sur pied le complexe Ex-Centris et la Fondation Langlois, voués au cinéma d'auteur et aux arts technologiques. La Fondation, qui motivait les espoirs les plus fous des artistes montréalais, a surtout privilégié de grands noms internationaux. Deux des trois salles d'Ex-Centris ont fermé leurs portes et attendent une reprise par d'autres propriétaires, sans doute avec l'aide de l'État québécois. DHC/ART, fondation dirigée par Phoebe Greenberg, héritière d'une fortune hôtelière, a pris la place de Daniel Langlois dans les rêves des créateurs montréalais des arts médiatiques. DHC/ART anime une galerie d'envergure internationale et un espace de performance ; ses productions cinématographiques incorporent fréquemment des techniques numériques.
Des fulgurances médiatiques continuent d'illuminer des lieux improbables de la ville. Le collectif Artificiel a pu suspendre ses *Bulbes* au plafond de la grotte multimédia du musée d'Art contemporain. La Cinémathèque québécoise accueille régulièrement des installations médiatiques en lien avec le cinéma. Les membres du collectif Perte de Signal ou le groupe Molior, qui se définit comme un producteur en nouveaux médias, sont nomades, et déploient leurs interventions visuelles et sonores dans de multiples contextes, aux échelles locale et internationale. Les dernières nées des Maisons de la culture montréalaises, qui sont les mieux nanties sur le plan technologique, accueillent de temps en temps des machines en leur sein. Enfin, la septième Biennale de Montréal, qui ouvre ses portes en mai 2011, intègre l'art technologique à sa programmation, après avoir consacré à l'art public interactif la manifestation de 2009.
Dernier point à souligner : les arts médiatiques à Montréal entretiennent des liens riches et parfois surprenants avec le reste du monde. Peu de gens savent que les architectures relationnelles du Montréalais Rafael Lozano-Hemmer sont ourdies dans un atelier du boulevard Saint-Laurent avant de voyager au Japon, à Mexico, parfois même dans l'espace, ou encore qu'un vaste réseau de distribution de contenu autochtone prend forme dans les bureaux de la compagnie de production inuit Isuma, en vue de donner aux habitants du Nunavut un accès aux réseaux et à la création numériques. Montréal, ville de synthèse, sait que l'avenir n'appartient qu'à ceux qui l'inventent.

> Montréal est constellée de théâtres potentiels qui, lorsqu'ils sont investis par les arts médiatiques, en sont transfigurés.

Daniel Canty

L'auteur tient à remercier Nathalie Bachand et Marie-Michèle Cron pour leur lecture.

p. 25, haut : *Black Box*, Purform (QC-CA), Usine C, Elektra 2003.
p. 25, bas : *Live AV (raster-noton)*, byetone (DE), Usine C, Elektra 2010.
p. 27 : Bulbes, Festival Sónar, Barcelone (2005).

LES ARTS DU BOIS :
Oboro, centre d'artistes

Cheminant vers le nord à partir du métro Sherbrooke, on voit la rue Berri, de boulevard, se transformer en une verdoyante artère résidentielle, tout ce qu'il y a de plus montréalais, avec ses façades en pierre garnies d'escaliers de fer forgé. Une dizaine de minutes plus tard, on atteint une sorte d'entrepôt : le centre d'artistes Oboro.

Créé en 1982, le centre d'artistes autogéré Oboro occupe, avec une poignée d'organismes à vocation apparentée, les étages supérieurs d'un espace postindustriel. Il s'élève au coin de Duluth, rue de restaurants prisée des touristes pour sa cuisine des quatre coins du monde. Sa localisation, au cœur du Plateau Mont-Royal, à l'écart du centre névralgique de l'art contemporain à Montréal qu'est l'immeuble Belgo, situé à deux pas du musée d'Art contemporain, suppose de faire un agréable petit détour. Qui plus est, les vernissages d'Oboro ont lieu le samedi, contrairement au traditionnel jeudi privilégié par les galeries, ajoutant à l'impression d'être en villégiature.

On dit d'Oboro qu'il est le plus grand centre d'artistes du Canada, et les artistes anglophones, ravis par les mots d'esprit que provoque parfois en français leur accent, aiment à l'appeler « Au Bwureau ». Ils font ainsi référence aux larges espaces de travail, presque aussi spacieux que l'espace d'exposition, mis à la disposition des artistes et du personnel d'Oboro.

Le studio d'enregistrement, qui apparaît derrière un délicat rempart d'orchidées, est entièrement recouvert de bois et évoque quelque chalet de montagne. Le studio de tournage, l'un des secrets les mieux gardés du milieu de la production médiatique à Montréal, fait la joie des réalisateurs indépendants, qui peuvent y travailler à l'écart des grands plateaux. Les artistes en résidence profitent du coquet et confortable petit appartement, juste derrière la porte à côté du salon de thé, aux faïences amoureusement choisies. Le personnel m'assure que le mobilier scandinave du bureau a été entièrement acquis à prix réduit.

L'espace d'exposition est une grande pièce blanche, jouxtée d'une annexe destinée aux œuvres plus intimes. Oboro accueille toute la gamme des arts médiatiques – vidéographie, installations, performances et autres improbables inventions de notre âge électronique, et propose de nombreuses activités de médiation publique.

Oboro tient son nom de l'Ouroboros des mythologies anciennes, dessin d'un serpent qui se mord la queue, symbolisant ainsi l'éternel retour. Oboro, qui se réclame de la philosophie bouddhiste et d'un idéal de paix mondiale, propose autant des réalisations en art médiatique qu'un certain art de vivre. La scénographie des expositions, nappée de la lumière naturelle qui filtre à travers les verrières du plafond, *respire*. J'ai déjà eu l'impression, dans la douceur d'un samedi après-midi, qu'une forêt se cachait derrière le centre, et qu'il me suffirait de trouver l'issue de secours du bâtiment pour sortir et m'enfoncer en plein bois. Revenant d'Oboro par les rues de Montréal, j'arrive parfois à me convaincre que les œuvres médiatiques peuvent tout autant être faites de bois que de n'importe quelle matière façonnée par la vie.

Daniel Canty

L'auteur tient à remercier Nathalie Bachand et Caroline Loncol Daigneault pour leur lecture et Pierre Beaudoin pour l'anecdote d'« Au Bwureau ».

p. 28 : *L'invisible*, spectacle de Marie Brassard présenté à l'Usine C en avril 2009.

LA GRANDE BIBLIOTHÈQUE : DÉCRYPTAGE D'UN SUCCÈS

Très grandes, grandes ou nouvelles, les bibliothèques publiques modernes de la dernière génération tendent aux villes d'importance – Paris, Amsterdam ou Alexandrie – un miroir où tenir leur rang dans l'économie du savoir. Souvent nées dans la controverse quant à leur architecture ou à leur mode de fonctionnement, elles tiennent aussi du pari en matière de démocratisation culturelle. À Montréal, celui-ci est relevé au-delà de toute espérance, dans une société où le livre et la lecture ne vont pas toujours de soi.

À Montréal, dans la vie des lecteurs abonnés à une bibliothèque publique, il y a eu avant et après le 30 avril 2005. Avant, sur le site où s'élève aujourd'hui la Grande Bibliothèque, inaugurée à cette date, il y avait une bâtisse sans âme appelée le palais du Commerce, dont la démolition n'a pas ému grand monde. Après, et depuis, il y a un haut lieu de savoir appelé la Grande Bibliothèque, aux lignes sobres à l'extérieur, chaleureuses à l'intérieur, et où se sont égarés avec bonheur, en 2009, 3 millions de visiteurs, alors que les estimations les plus optimistes prévoyaient à l'origine une fréquentation annuelle de 1 million et demi de visiteurs.

Les signes de cette *success story* ne s'arrêtent pas là. À son ouverture, la Grande Bibliothèque comptait 80 000 abonnés. Cinq ans plus tard, en juillet 2010, ils étaient trois fois et demie plus nombreux, soit 273 944, aux trois quarts montréalais, le dernier quart disséminé un peu partout sur le territoire québécois, grâce à Internet et aux services à distance offerts par l'institution. Dès le jour de son ouverture et pendant plus d'un an par la suite, les files d'attente de Montréalais de tous milieux, de toutes origines et désireux de s'inscrire offraient un spectacle quotidien réjouissant pour qui s'inquiète du rôle des bibliothèques à l'ère du tout-électronique. La Grande Bibliothèque, institution montréalaise mais aussi nationale, en raison de son statut de vaisseau amiral aux centres d'archives présents dans neuf villes québécoises, serait-elle en passe de réduire le retard historique des Québécois en matière de fréquentation de bibliothèques et de lecture ? Le moins que l'on puisse dire, c'est qu'elle invite à faire preuve d'optimisme, d'autant que les bibliothèques de quartier, à Montréal, bénéficient dans la foulée d'un important programme d'agrandissement et de mise à niveau.

Cependant, la question demeure : pourquoi cette faveur des Montréalais pour une Grande Bibliothèque à l'heure du divertissement roi ?

La bibliothèque de tous

Guy Berthiaume, PDG de Bibliothèque et Archives nationales du Québec (BAnQ) suivant l'appellation officielle de l'institution, historien et spécialiste de l'Antiquité grecque, avance une première explication : « C'est sa localisation qui est déterminante, et je veux dire par là tant sur le plan géographique que philosophique », affirme-t-il dans son bureau qui domine les six niveaux de rayonnages s'étendant sur 33 000 mètres carrés de surface. « D'accès très facile en métro, la Grande Bibliothèque est aussi un centre culturel qui propose régulièrement, en plus de l'emprunt de documents, des conférences, des expositions et des concerts. L'appropriation des Montréalais s'est faite à partir de cette pluralité d'expériences culturelles dans un lieu aisément accessible, ouvert six jours sur sept, de 10 à 22 heures, et où, je le rappelle, la plupart des ouvrages sont en libre accès, sur les rayons, ce qui n'est pas toujours le cas dans les autres bibliothèques de ce type. » Ajoutez à cela le principe inaliénable de la gratuité maintenu à l'intérieur d'un budget de fonctionnement s'élevant à 65 millions de dollars, dont 52 millions assurés par l'État du Québec et 7,4 millions par la ville de Montréal. Remuez le tout. Servez. Les foules suivront.

Cette volonté d'être la bibliothèque de tous est inscrite dans le code génétique de l'institution créée en 1998, dans la foulée d'un projet de politique générale du livre et de la lecture mené par le ministère québécois de la Culture et des Communications. La mission de démocratisation culturelle de BAnQ est en effet stipulée dans le texte même de la loi qui en régit le fonctionnement (chapitre II, article 14). Moyennant quoi, à Montréal, la Grande Bibliothèque, contrairement, par exemple, à la bibliothèque François-Mitterrand à Paris, n'est pas spécialement destinée aux chercheurs, exception faite de ceux ayant fait de la culture ou de la littérature québécoises leur objet d'étude (selon les données de la BNF, le public qui fréquente l'un ou l'autre de ses trois sites parisiens est scolarisé à 84 %. Il est de 62 %, du côté de BAnQ, selon ses propres statistiques). La Grande Bibliothèque ne donne pas davantage la priorité aux étudiants, qui ont à leur disposition un éventail de bibliothèques universitaires diversement garnies, avec celles des campus de l'université de Montréal, McGill, Concordia et de l'université du Québec à Montréal (UQÀM). En clair, elle s'adresse résolument au grand public, auquel il s'agit de rendre disponible l'ensemble des savoirs, ni plus ni moins.

Dès le jour de son ouverture et pendant plus d'un an par la suite, les files d'attente de Montréalais de tous milieux, de toutes origines et désireux de s'inscrire offraient un spectacle quotidien réjouissant pour qui s'inquiète du rôle des bibliothèques à l'ère du tout-électronique.

C'est que l'éducation est une conquête récente et rapide des Québécois d'origine canadienne-française, qui n'aiment guère se rappeler qu'en 1931, par exemple, seulement 29 % des leurs poursuivaient des études au-delà de la huitième année, selon le cursus alors en vigueur (*cf.* Jacques Brazeau, « L'émergence d'une nouvelle classe moyenne au Québec » *in La Société canadienne-française,* Marcel Rioux et Yves Martin (dir.), Montréal, Hurtubise HMH, 1971, p. 325-333). De nos jours, la scolarisation du même groupe social a considérablement progressé, mais on peut penser que le geste culturel fort qu'est la création d'une Grande Bibliothèque dans une société où l'accès à la culture et aux livres fut une conquête ne compte pas pour peu dans le succès de l'institution, même si aucune statistique ne saurait rendre compte d'un tel facteur psychologique.

En 1995, au moment où l'État québécois se dotait d'une politique générale du livre et de la lecture, la plupart des observateurs s'accordaient à déplorer au Québec non seulement le piètre état des collections dans les bibliothèques scolaires ou publiques existantes, mais aussi la fragilité des librairies indépendantes pour lesquelles la mise en place d'un prix réglementé du livre, réclamé par des associations professionnelles de plus en plus nombreuses, se fait encore attendre au nom du libéralisme économique nord-américain. À déplorer aussi les rapports demeurés difficiles que les Québécois d'origine canadienne-française entretiennent avec le livre et la lecture, comme le montrent les statistiques comparatives dans ce domaine. Selon les données les plus récentes de l'Observatoire de la culture et des communications du Québec, 35,8 % des Québécois sont en effet inscrits à une bibliothèque publique, malgré un réseau de bibliothèques qui dessert, en 2007, 95,3 % de la province. À titre comparatif, 50,2 % des habitants de la Colombie-Britannique, province de l'Ouest canadien, et 55 % des Américains le sont. Dix ans plus tard, on peut donc s'interroger : le succès de la Grande Bibliothèque, à Montréal, serait-il un phénomène urbain (un peu comme le métro), lié à l'offre culturelle abondante d'une métropole cosmopolite qui induit une plus grande familiarité avec la culture ? Sans doute en partie.

Un double mandat

Toutefois, un facteur d'ordre structurel joue également. Ainsi, fait inusité dans le monde des bibliothèques publiques nationales, BAnQ est une créature bicéphale. L'institution est à la fois un lieu de conservation, par le biais de ses collections et des archives nationales, et une bibliothèque de prêt. Ce double mandat suffirait à distinguer la Grande Bibliothèque, à Montréal, de la Bibliothèque nationale de France, par exemple, dont la demi-douzaine de sites renvoient à des lieux de conservation et d'archives, et tout aussi bien de la Bibliothèque publique d'information du Centre Pompidou, bibliothèque publique mais non de prêt. « Cette orientation, décidée à Québec au fil de rationalisations successives, fait notre force, analyse Guy Berthiaume. Elle amène les gens du dépôt légal et des archives à penser en termes de diffusion, et les gens de la diffusion et les bibliothécaires à penser en termes de conservation. »

Sur le terrain, tant du côté de la collection de prêt que des Archives nationales, cette imbrication des rôles se traduit par un personnel affable, disponible, voire empressé, généreux de ses explications (à peine moins les jours de grande affluence), et manifestement heureux d'échanger avec le public. En matière de bibliothèque publique, Guy Berthiaume a un modèle : la Queens Borough Public Library, à New York, institution qui prend au sérieux la mission historiquement dévolue aux bibliothèques américaines : réduire les inégalités sociales et prendre le relais d'un État volontairement faible. Mission qui explique, selon Guy Berthiaume, la place importante qu'occupe la bibliothèque municipale dans la vie quotidienne des Américains. Pour sa part, la Queens Borough Public Library accorde une attention particulière aux immigrants, pour lesquels elle a conçu divers programmes d'insertion, doté l'institution d'un Conseil des communautés culturelles et amorcé la construction d'un édifice entièrement voué à faciliter la pratique de la lecture et de l'écrit (techniquement appelé « littératie » ou « littérisme ») chez les adolescents. Certes, à Montréal, la Grande Bibliothèque compte une collection d'ouvrages en diverses langues ; elle a mis sur pied certains programmes destinés aux immigrants et de nombreux adolescents viennent y faire leurs devoirs, après l'école. Rien cependant dans ces initiatives qui soit de même envergure que l'action menée par la Queens Borough et dont Guy Berthiaume entend bien s'inspirer au cours des prochaines années.

De plus, et non sans difficulté en raison des problèmes de licence soulevés, la Grande Bibliothèque entend maintenant pratiquer le prêt numérique, c'est-à-dire de fichiers de livres chrono-dégradables au-delà de la limite du prêt, à partir d'une passerelle technologique établie avec les librairies qui vendent des livres numériques. L'institution a en effet le souci de s'inscrire dans une continuité d'approvisionnement et de ne pas malmener davantage une chaîne du livre déjà bouleversée par l'arrivée du numérique.

En attendant, à Montréal, l'ambiance est loin d'être morose à la Grande Bibliothèque, où il règne en permanence une animation bon enfant, avec le défilé des ouvrages rendus et prêtés au rez-de-chaussée, les conversations impromptues entre connaissances qui s'y croisent par hasard, la consultation aisée du catalogue devant des postes informatiques qui affichent souvent complet, les paniers remplis de DVD et de CD dans la section audiovisuelle, de loin la plus fréquentée – « Pourquoi une bibliothèque devrait-elle s'en tenir aux livres ? » feint de s'étonner Guy Berthiaume. Mais on l'a compris : le livre, c'est-à-dire le savoir, est bien ce qu'il veut mettre entre toutes les mains.

Marie-Andrée Lamontagne

DES INTELLECTUELS MARGINALISÉS

Radios, télés, journaux : les intellectuels sont invisibles à Montréal. S'ils ne rasent pas tout à fait les murs, ils veillent à ne pas faire tout un fromage du titre que revendiquent sans état d'âme leurs vis-à-vis sous d'autres cieux. Intellectuels, pourtant, ils le sont bel et bien. Et leurs catacombes n'ont rien de sinistre.

Les mots étant piégés, mieux vaut commencer par préciser le sens communément donné au terme au Québec. En forçant le trait, on dira là qu'entre dans la catégorie intellectuelle toute activité qui ne relève pas du travail manuel. Cette acception très large du mot est évidemment le fait de ceux qui n'en sont pas et s'accompagne souvent d'une pointe de mépris. Il existe en effet au Québec une tradition d'anti-intellectualisme qui s'explique en partie par l'histoire (voir « La Grande Bibliothèque » page 31, pour le rattrapage historique des Canadiens français en matière d'éducation). Cependant, la loi du nombre, déjà sévère avec les intellectuels, est impitoyable dans un contexte minoritaire comme l'est la culture française en Amérique du Nord. Moyennant quoi, les intellectuels montréalais évoluent pour la plupart sur le timbre-poste délimité par les revues littéraires et d'idées, les corridors de fac, quelques librairies particulièrement animées, les pages du quotidien *Le Devoir,* que du reste tous ne lisent pas. C'est sur ce timbre-poste, bel et bien, qu'ils lisent, écrivent, publient, discutent, ferraillent en de rarissimes occasions, tandis que la société suit son cours. La chose est vraie du côté francophone, sujet de cet article. Elle l'est aussi, quoique de manière différente, du côté des anglophones montréalais.

Tous schizos ou presque

C'est que la situation des intellectuels à Montréal tient de la schizophrénie. Les intellectuels francophones, qui appartiennent à la culture majoritaire au Québec, pour cette raison volontiers impérialiste dans ses rapports avec les minorités francophones du Canada, gardent peu ou prou les yeux rivés sur Paris, aux yeux de laquelle ils évoluent dans la marge. Parallèlement, les intellectuels anglophones, minoritaires à Montréal et souvent ignorés de leurs vis-à-vis francophones, s'estiment de surcroît négligés par l'intelligentsia anglo-canadienne de Toronto (d'où la création d'associations et de prix littéraires anglo-montréalais), alors que les écrivains et les intellectuels torontois, à quelques exceptions près, sont souvent eux-mêmes traités avec la condescendance réservée aux provinciaux dans les milieux éditoriaux de la Côte Est américaine. Tout cela n'intéresse, il va sans dire, que les sociologues de la littérature, le vrai, le précieux lecteur sachant toujours aller vers les siens, où qu'ils se trouvent, au-delà des frontières géographiques, *a fortiori* à l'ère d'Internet.

Cela étant, la vie intellectuelle à Montréal offre peut-être une situation privilégiée. Éric de Larochellière, trentenaire, ex-libraire, a cofondé en 2002 les éditions Le Quartanier, qui comptent 75 titres au catalogue et figurent, avec Les Allusifs, maison d'édition à la présence remarquée en France, les éditions Héliotrope, celles du Passage, du Marchand de feuilles, ou Le Temps volé Éditeur, parmi les lieux éditoriaux stimulants, tout en étant de dimensions modestes. « Montréal, explique-t-il, fonctionne comme un aimant pour les artistes, les idées, les écrivains. Ce n'est pas faire preuve de montréalo-centrisme que de le dire. Cependant, l'identité montréalaise n'est pas repliable sur l'identité québécoise. Montréal vit dans les flux. »

Autour d'une structure d'édition légère, l'homme a voulu rassembler moins des amis que des jeunes urbains ayant le regard tourné vers ce qui les intéresse, que ce soit à New York,

< SÉRIE QR >

DAVID
LEBLANC

FICTIONS

MON NOM
EST PERSONNE

LE QUARTANIER

< SÉRIE QR >

ÉRIC
PLAMONDON

ROMAN

HONGRIE-
HOLLYWOOD
EXPRESS

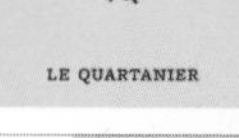

LE QUARTANIER

Paris, Londres ou Toronto, sans exclusivité de langue ou de culture au chapitre des goûts (la maison demeurant un éditeur de langue française). « Nous avons tissé un réseau de connivence avec des auteurs de Montréal, des États-Unis, de Bordeaux ou de Marseille qui font du Quartanier un petit éditeur de pointe au même titre que Le Bleu du ciel ou Al Dante en France. Notre particularité à nous, c'est de le faire depuis l'Amérique du Nord. Montréal est notre base d'opérations et de rayonnement. Et nous le faisons avec beaucoup de bonheur. »
Cet espace géographique et mental privilégié doit tout de même composer, sur le marché domestique francophone, avec tout au plus quelques centaines de lecteurs curieux. Le magazine *OVNI*, adossé à la maison d'édition, a publié quatre numéros qui furent reçus comme un appel d'air frais dans le milieu de la critique littéraire. Mais la cinquième livraison se fait attendre, faute d'argent. « Le milieu est à la fois frustrant et stimulant, commente Éric de Larochellière. À Montréal, il y a le désir de dialoguer et des gens qui veulent dire des choses à côté du commerce et de la représentation. La librairie Le Port de tête veut faire ça. La librairie Olivieri a un engagement très fort envers la vie intellectuelle. La librairie Monet a réussi à faire un blog où tu n'as pas l'impression qu'un vendeur te parle, mais une équipe. » Ces librairies et d'autres (la Librairie du Square, au Quartier latin, la librairie Gallimard, boulevard Saint-Laurent, L'Écume des jours, dans le Mile-End, la Librairie Paulines, dans l'est) enrichissent la vie intellectuelle, alors que la plupart des grands médias écrits et électroniques vivent dans un état permanent d'anémie littéraire. Du reste, l'action isolée de quelques journalistes en faveur de sujets plus exigeants se heurte rapidement à la loi du genre qui suppose de s'adresser au plus grand nombre et à ses goûts présumés, à tort ou à raison, par les patrons de presse.
Du côté intellectuel, la frustration guette. « Les milieux sont toxiques. Tout le monde se surveille », déplore Éric de Larochellière, et cet état d'esprit contribue à l'emprise des milieux (par exemple ceux des arts visuels, de la littérature, de la danse ou du théâtre) sur les claviers et les micros qui s'expriment plus ou moins sous surveillance. Pour sa part, le Quartanier « a voulu repérer un espace vacant, où faire apparaître ce qui doit apparaître et n'apparaît pas assez souvent ». En somme : ouvrir les fenêtres. Le Quartanier n'est pas le seul à vouloir agir ainsi. D'excellentes publications sont nées de ce manque ou y ont trouvé un second souffle. Dans les anciennes, *Les Écrits,* qui rendent compte de la littérature contemporaine, ou la revue *Liberté,* au riche héritage intellectuel. Parmi les plus récentes, les *Cahiers Contre-Jour,* qui concoctent des numéros de haute tenue sur l'écrivain Sebald ou sur la poésie américaine ; *L'Inconvénient,* qui ironise avec intelligence sur l'époque ; *Argument,* lieu de débats au carrefour de l'histoire, de la philosophie politique et de la littérature ; la revue électronique *Salon double,* qui, sans jargon, combine la profondeur de la réflexion universitaire et une curiosité pour le contemporain.

La loi du nombre

En dépit d'un lectorat qui se raréfie ou se fragmente, toutes ces revues et d'autres encore agitent, souvent avec brio, des idées et des textes, mais elles le font dans la semi-confidentialité à l'heure de la culture spectaculaire, et d'une manière héroïque. Patrick Poirier est directeur de la revue *Spirale* (littérature et arts visuels), née il y a trente ans. « Montréal, rappelle-t-il, est une ville qui compte cinq campus universitaires. Cela transparaît dans la vie intellectuelle et culturelle montréalaise, où le problème n'est pas l'offre, mais plutôt le fait qu'une soirée de qualité chez Olivieri doive se contenter d'un auditoire d'une trentaine de personnes. Cependant, en matière de culture, nous sommes bombardés de chiffres et constamment soumis à ce prisme. *More is better* est devenu la règle. C'est dangereux. »
C'est que les chiffres jouent des mauvais tours aux intellectuels. En 2004, le service public de la radio et de la télévision de Radio-Canada, en mal d'audience, et souvent forcé de justifier, auprès de politiques méfiants, les budgets accordés par l'État canadien, a remanié en profondeur – ou plutôt en légèreté – sa grille des programmes à la radio, tant de langue française que de langue anglaise. Mais c'est du côté français que le changement de cap fut le plus radical, alors que la deuxième chaîne, dite Chaîne culturelle, qui offrait jusque-là des programmes sur la littérature, les arts, les idées, fut abolie et remplacée par une chaîne entièrement musicale : Espace Musique – comme si Radio France décidait de saborder France Culture, jugée trop élitiste, au seul bénéfice de France Musique. Du coup, même si la cause semble entendue chez les dirigeants du réseau français de Radio-Canada et dans le grand public, le procès n'a pas fini d'être instruit dans le milieu intellectuel montréalais et dans celui des arts, où le sujet revient comme un leitmotiv dès qu'il est question de culture, et sans qu'on l'ait sollicité. Ceux qui ont vu, dans le tout-divertissement du service public, une trahison de son mandat trouvent des alternatives dans différents médias tels qu'Internet – Radio Spirale née de la revue du même nom et qui se fait l'écho, par le biais de captations, de divers événements de la Maison de la poésie, autour de la revue de théâtre *Jeu* ou à la librairie Olivieri ; les programmes de France Culture en podcast, très prisés de plusieurs intellectuels montréalais –, des radios communautaires comme CIBL ou Radio Ville-Marie, celle-ci accordant à la littérature une place notoire dans sa grille de programmes, voire les radios étudiantes universitaires.
C'est dans ce paysage culturel atomisé, dans des lieux à la richesse insoupçonnée par les milieux *mainstream* que s'inscrit la vie intellectuelle montréalaise, exerçant sur la société une influence certaine bien qu'elle soit aléatoire et pas toujours visible à l'œil nu.

Marie-Andrée Lamontagne

p. 35 : Couvertures de quelques titres récemment parus aux éditions Le Quartanier, les Allusifs et Héliotrope.

p. 37 : La librairie Le port de tête, avenue du Mont-Royal.

bellmer
L'ARBALETE
PASTOUREAU
PRIX FEMINA
LA VOLONTÉ
DE PUISSANCE

OVNI

OVNI MAGAZINE 03 • AU

LITTÉRATURE

ISSN 1916-3037 • ISBN

L'écrivain Nicolas Dickner en couverture du magazine Ovni, n° 3, août 2009.

NICOLAS DICKNER :
la bonne distance focale

En 2005, un météore littéraire traversait le ciel montréalais : *Nikolski*, premier roman et phénomène d'édition (publié chez Alto au Québec et chez Denoël en France), faisait de son auteur la coqueluche d'une nouvelle génération de lecteurs. Celle-ci se reconnaissait sans doute en partie dans les personnages de ces jeunes gens curieux du vaste monde, légers et graves à la fois, poursuivant leurs pérégrinations entre villes, pays, amours et familles. L'action de *Nikolski* se déroule à Montréal, ville emblématique, peut-être, d'un état d'esprit fait de disponibilité, d'oubli, de doute.

En empruntant chaque matin les quatre kilomètres qui le mènent jusqu'à la garderie où vont ses enfants, dans le quartier de Montréal communément appelé la Petite-Italie, l'écrivain Nicolas Dickner a l'impression de traverser un village. « À force de faire le même trajet, on rencontre les mêmes gens, dans leurs activités quotidiennes », observe ce Montréalais d'adoption. Dans la cour arrière de son appartement situé dans le quartier Rosemont-La Petite-Patrie, l'écrivain recueille l'écho d'une ville de plus en plus métissée et plurielle, qui tranche sans doute avec le caractère homogène de sa ville natale. « Souvent, j'entends ici mes voisins qui se parlent en quatre langues, le français, l'anglais, l'italien et l'espagnol », commente-t-il.

Nicolas Dickner est né à Rivière-du-Loup. C'est du reste en partie dans cette petite ville du Bas-du-Fleuve que se déroule l'action de *Tarmac* (éd. Alto), son dernier roman. Sa ville natale, l'écrivain l'a quittée dans la vingtaine, d'abord vers le sud, pour gagner Québec et y faire des études, ensuite pour voyager allégrement de par le monde. Il y a cinq ans, Nicolas Dickner est venu s'établir à Montréal, où il vit avec sa compagne et leurs deux enfants.

Il avait pourtant déjà habité une année à Montréal, entre deux voyages, et il se souvient que c'est dans cette ville, qu'il traversait alors fréquemment à pied, du nord au sud, qu'il a pris goût à la littérature de langue anglaise. À l'époque, il fréquentait notamment la librairie de livres rares et d'occasion S.W. Welch, aujourd'hui située rue Saint-Viateur, dans le quartier Mile-End. « Ce libraire avait des heures d'ouverture étonnantes. Le soir, je revenais du centre-ville après avoir vu un film, et je m'arrêtais là en chemin. » L'aspirant écrivain découvre alors entre autres romans *The Apprenticeship of Duddy Kravitz* et *Barney's Version,* de l'écrivain anglo-montréalais Mordecai Richler, *Dharma Bums,* de Jack Kerouac, diverses œuvres de Steinbeck et de Douglas Coupland. « Cette librairie était tellement agréable. C'est fou comme une librairie peut avoir de l'influence sur un lecteur », se souvient-il.

Mais le goût des voyages le reprend et Nicolas Dickner repart, tout en continuant d'écrire. C'est au cours d'un séjour en Allemagne qu'il écrit l'essentiel de *Nikolski,* premier roman qui lui vaut une avalanche de prix et le propulse à l'avant-scène de l'actualité littéraire.

« En fait, il est évident que la distance est une bonne chose pour l'écrivain », constate-t-il. Si *Nikolski* est montréalais, *Tarmac* joue de l'opposition entre la ville et la banlieue, entre la vie dans une petite ville de province et celle dans une grande métropole. « Cela se passe à Rivière-du-Loup avec un bout à Montréal. Il y avait cette idée de mettre en opposition la petite ville et la grande ville, alors qu'au Québec, on a souvent mis en opposition la ville et la campagne », ajoute-t-il. L'action de *Tarmac,* qui traite de la hantise de la fin du monde vue depuis un certain sous-sol à Rivière-du-Loup, pourrait tout aussi bien se passer en banlieue de Montréal, dans l'un ou l'autre de ces no man's land que sont les banlieues nord-américaines qui s'étendent à la périphérie des villes et où, estime le désormais urbain Nicolas Dickner, « on est un peu condamné à voir le train passer… ».

Caroline Montpetit

LE CINÉMA QUÉBÉCOIS OU L'ART DE TIRER SON ÉPINGLE **DU JEU**

Incendies, Les Amours imaginaires, C.R.A.Z.Y. Les réalisateurs de ces longs-métrages – Denis Villeneuve, Xavier Dolan, Jean-Marc Vallée – ont de quoi se réjouir : au Québec, leurs films ont été des succès publics et critiques, et leurs droits, vendus dans plusieurs pays. Longtemps mal-aimé, le cinéma québécois intéresse, séduit ou suscite la curiosité. Il était temps.

Incendies, à l'origine créé au théâtre par Wajdi Mouawad, raconte la quête d'un frère et d'un père menée par un frère et une sœur à la mort de leur mère libanaise, émigrée au Québec. La question identitaire, serpent de mer de la culture québécoise, fait ici un détour fécond par le Liban en guerre. Dans son film précédent, Denis Villeneuve avait abordé, sur le mode de la fiction, la tuerie survenue le 6 décembre 1989 à l'École polytechnique de Montréal, alors qu'un jeune homme, dans un accès de paranoïa antiféministe, avait tiré à bout portant sur des étudiantes en génie, tuant 14 d'entre elles. À Montréal, *Polytechnique* (2009) et *Incendies* (2010) ont attiré les foules au moment de leur sortie en salle, tout en demeurant dans la catégorie du cinéma d'auteur à laquelle Villeneuve appartenait depuis *Un 32 août sur Terre* (1998) et *Maelström* (2000).
Mais que veulent dire « foules », « cinéma d'auteur », « succès commercial » au Québec ? En 2009, selon l'Observatoire sur la culture du Québec, le cinéma québécois recueillait 12,2 % des parts du marché domestique, 8,8 % en 2010, alors qu'au Canada anglais, le cinéma canadien de langue anglaise peinait à recueillir 1 %. À titre indicatif, en France, les parts du cinéma français, à la baisse, se situaient à 45 % en 2008, 37 % en 2009, 36 % en 2010. Vu sous cet angle, le cinéma québécois tire indéniablement son épingle du jeu. Comment expliquer cette performance ?

De l'art à l'industrie

« Avant la fin des années 1990, explique Bernard Boulad, longtemps critique de cinéma à Montréal, où il collabore maintenant au mensuel sur les industries culturelles québécoises *Qui fait quoi ?,* tout en étant, en France, directeur artistique du Festival européen du film court de Brest, le cinéma québécois était très estampillé auteur. Maintenant, il y a une volonté politique d'inscrire le cinéma québécois dans une industrie. Téléfilm Canada se conçoit comme une banque qui investit dans le cinéma et justifie son existence par le nombre d'emplois créés. » Et pour cause. Le Fonds du long-métrage de l'agence fédérale, mandatée pour soutenir l'ensemble du cinéma canadien, s'élevait en 2010 à 93,3 millions de dollars, ce qui en fait l'une des principales sources de financement du cinéma québécois. Du côté de l'État québécois, c'est la SODEC (Société de développement des entreprises culturelles) qui joue ce rôle. Or, poursuit Bernard Boulad, « le budget cinéma de la SODEC, qui s'élève à 36,5 millions de dollars en 2009-2010, est plus élevé, pour une population dix fois moindre, que celui, en Grande-Bretagne, du UK Film Council, qui administre un fonds annuel de 23 millions de dollars, ce dernier d'ailleurs amputé et voué à disparaître. Le cinéma québécois a donc plus de moyens qu'avant, mais ces aides ont un effet inflationniste sur les budgets de production : dès que de l'argent public est injecté, le budget est doublé. Au Québec, faire un film peut être une loterie avantageuse, alors qu'un quart des projets environ est accepté par les instances publiques de financement. En France, la proportion de projets acceptés est bien moindre. »
Le Québec n'est pas l'eldorado pour autant. En 2009, 30 longs-métrages y ont été produits, mais plusieurs projets intéressants ont été laissés sur le carreau par les jurys. Les recettes du film au

moment de la sortie en salle sont prises en compte dans l'évaluation des projets par Téléfilm Canada et par la SODEC, sous les espèces d'une « enveloppe à la performance », en principe chargée de soutenir la production de nouveaux films d'auteur, mais où beaucoup voient aussi un mécanisme entraînant le cinéma québécois dans une dérive populiste – comme si la meilleure réponse aux *blockbusters* américains était la production de *blockbusters* québécois.

Au moment de réaliser son premier long-métrage de fiction, le jeune Simon Galiero n'a même pas cherché à obtenir un financement public. Il a réalisé l'étonnant *Nuages sur la ville* (2009) en format numérique avec un budget dérisoire de 30 000 dollars, à raison de quatorze jours de tournage, d'une équipe technique réduite à cinq personnes et en se contentant, en ce qui le concerne, d'une heure de sommeil par nuit. On est loin des 5 millions de dollars, budget moyen d'un long-métrage québécois. Bien lui en prit. Sur fond de banlieue uniforme, d'une Montréal aux couleurs froides et d'une campagne fantasmée, ce film intelligent fait se croiser les trajectoires de personnages que leur époque rend pour le moins perplexes. Le film a reçu le prix Focus-Cinémathèque québécoise au Festival du nouveau cinéma, à Montréal.

Un temps critique au magazine *24 Images*, Simon Galiero prend avec des pincettes les chiffres sur la faveur du cinéma québécois dans un marché domestique où le cinéma américain, en 2009, accaparait tout de même 73,1 % des recettes (49,7 % en France, parts maintenues en 2010). « Ce pourcentage [12,2 % en 2009] est trompeur, car il n'est pas au détriment du marché hollywoodien, mais à celui des cinémas français et étranger. Au Québec aujourd'hui, ils ont à peu près disparu des salles, ce qui, dans le premier cas, revient à couper les Québécois de leurs racines françaises. En même temps, on ne peut pas nier l'intérêt des Québécois pour leur cinéma. Mais ce sont des films comme *Séraphin* qui l'emportent. » *Séraphin* est l'adaptation par Charles Binamé d'un roman régionaliste des années 1930 (*Un homme et son péché,* de Claude-Henri Grignon). Cette chronique villageoise à saveur pionnière et mettant en scène l'avare Séraphin Poudrier est devenue au cinéma, en 2002, une histoire d'amours contrariées vaguement sirupeuse, ce qui l'éloigne d'autant du cinéma qui intéresse Simon Galiero.

« Le cinéma québécois plus reconnaissable pour son apport culturel et qui trouve une place dans les festivals à l'étranger ne trouve ici que peu d'écho, déplore-t-il, exception faite de Xavier Dolan, au succès très médiatisé, et de Bernard Emond, qui font mentir la règle. Mais même avec ce dernier, il faut relativiser car ce succès masque l'échec commercial d'autres films qui pourraient lui être apparentés. 68 000 spectateurs pour *La Neuvaine,* sur 7 millions de Québécois, ce devrait être une performance normale. Mais *Carcasses* de Denis Côté [réalisateur aussi de *Curling,* Léopard d'argent de la meilleure réalisation et prix d'interprétation masculine à Emmanuel Bilodeau, au Festival de Locarno en 2009. *Ndlr*], qui fut présenté à Cannes dans une section parallèle, et a trouvé ici 649 spectateurs. *Mariage,* le premier long-métrage de Catherine Martin, est allé à Berlin, et c'est tout. Son dernier film, *Trois Temps après la mort d'Anna,* est sorti dans sept salles, accompagné d'un budget publicitaire important, et a fait 7 787 entrées. *Un fleuve humain,* le documentaire de Sylvain L'Espérance sur le Mali, n'a même pas été acheté par les télés d'ici. »

Les vedettes de la télé

Pour devenir rentable, un film au Québec doit faire des recettes quatre ou cinq fois supérieures à son budget de production. Suivant cette arithmétique, les films rentables se comptent sur les doigts de la main. Bernard Boulad ne retient que *Le Déclin de l'empire américain* (1986) et *Les Invasions barbares* (2003), de Denys Arcand, et *Bon Cop, Bad Cop,* comédie policière d'Érik Canuel (2006). Au Québec, ajoute-t-il, « le vedettariat national marche très fort à la télé, et cela a pris du temps avant qu'il passe au cinéma, mais cette fois, ça y est. D'ailleurs, le succès du cinéma national passe toujours par le comique et les films historiques. C'est vrai en Allemagne, en Suède, partout, chaque fois que les chiffres bondissent », observe celui que ses goûts mènent plutôt du côté de *Maman est chez le coiffeur* (2008) de Léa Pool, de *Congorama* (2006), de Philippe Falardeau, du *Léolo* (1992), de Jean-Claude Lauzon, ou encore des documentaires de Benoît Pilon (*Roger Toupin, Épicier Variété,* 2003) et de Michel Langlois (*Le Fil cassé,* 2002).

Cependant, les Kim Nguyen (*La Cité,* 2010), Francis Leclerc (*Une jeune fille à la fenêtre,* 2001), Louis Bélanger (*Route 132,* 2010), Jean-Marc Vallée (*Café de Flore,* 2011) ou Yves Simoneau à son meilleur (*Pouvoir intime,* 1986 ; *Napoléon,* 2002) auront beau tourner des films dans des registres très différents, ceux-ci doivent pouvoir compter sur un réseau de salles de répertoire dignes de ce nom. C'est là que le bât blesse. Outre la Cinémathèque québécoise, on ne compte que trois cinémas de répertoire à Montréal (le Cinéma du Parc, le Cinéma Beaubien, le Parallèle), dont aucun sur le très branché Plateau Mont-Royal, soit une misère, et un quasi désert hors de Montréal, fait remarquer Bernard Boulad. Vidéo sur demande ou non, 3D ou non, il y a encore beaucoup à faire du côté de la distribution.

Marie-Andrée Lamontagne

pp. 40 et 43 : Tournage du film *Congorama*, de Philippe Falardeau, sorti en salles en 2007.

XAVIER DOLAN
L'avenir est aujourd'hui

« Belle, laide, aimante, hostile, fière, honteuse, Montréal me séduit par ses contradictions, et me frustre par la façon dont elle ne saisit pas toute la dimension de son potentiel, probablement par peur, par humilité, estime Xavier Dolan. Ici et maintenant, il se passe pourtant quelque chose dans la métropole. On le sent, on le voit. »

Dans son Québec natal, à cheval entre les cultures, maîtrisant l'anglais aussi bien que le français, le cinéaste de 22 ans flaire un vent nouveau et l'incarne aussi. On le dit arrogant. Il s'en fout. Doué, brillant, le jeune créateur voit loin et n'éprouve nulle envie de jouer profil bas. Ses racines le nourrissent. « Montréal est la source de mes premières amours, de mes premières erreurs, de mes premiers triomphes. Je voyagerai mais y reviendrai toujours. » Toutes les villes l'inspirent pourtant.

Après *J'ai tué ma mère* et *Les Amours imaginaires,* tous deux lancés à Cannes, Xavier Dolan dirige à Montréal son troisième long-métrage, *Laurence Anyways*, une histoire d'amour et de transsexualité, coproduit en France par MK2 et coiffé d'un vrai budget : près de 10 millions de dollars canadiens, avec Louis Garrel et Nathalie Baye. Secret de polichinelle : le film est pressenti en compétition à Cannes en 2012. Qui l'eût cru ?

Trois ans plus tôt, ce cinéaste de 20 ans à la mèche folle, à la dégaine de zazou et au culot d'enfer, avait fait son entrée sur la Croisette, son premier long-métrage largement autobiographique sous le bras, financé en grande partie avec ses économies d'enfant acteur. Scénariste, réalisateur de *J'ai tué ma mère,* il y tenait un des deux rôles principaux : celui de l'ado rebelle excédé par une maman trop kitsch (merveilleuse Anne Dorval). Budget global du film : 820 000 dollars canadiens. Une broutille.

Projeté à la Quinzaine des réalisateurs, *J'ai tué ma mère* par son charme, son humour, ses maladresses, ses étonnants cadrages, ses références à Wong Kar-wai, aux cinéastes de la Nouvelle Vague, à Pollock, frappa par sa maturité de ton. Xavier Dolan était lancé sur la Croisette, sacré star instantanément au Québec. Son film allait être vendu dans 25 pays, primé sur la route des festivals ainsi qu'aux Jutra (les Oscars du Québec).

Hormis quelques rôles en tant qu'enfant acteur, le cinéaste n'avait alors à inscrire sur sa feuille de route ni court-métrage ni clip, aucune formation en études cinématographiques non plus, mais depuis l'âge de 13 ans, l'adolescent écrivait nouvelles et scénarios, regardait et assimilait des films phares signés Visconti, Wenders, Godard, etc. Il s'avoue fou de Cocteau, arbore en tatouages des maximes de lui. Fils du comédien et chanteur d'origine égyptienne Manuel Tadros, Xavier Dolan avait joué très tôt dans des pubs et des longs-métrages, dont le film choc *Martyrs* du Français Pascal Laugier, coproduit au Québec.

À ce conteur d'histoires pourvu d'un œil et d'un souci du détail, la réalisation est vite apparue comme l'art total. Dolan refuse les étiquettes, avoue des doutes, mais explore ce langage en mouvement, en tirant parti de ses erreurs. *J'ai tué ma mère,* lancé sur les écrans français en plein été, n'aura guère fait recette dans l'Hexagone (moins de 42 000 entrées), mais remporta le prix Lumière du meilleur film francophone.

Xavier Dolan concoctait alors déjà son second long-métrage : *Les Amours imaginaires,* conte moderne traitant du béguin d'un garçon (Dolan) et d'une fille pour le même éphèbe, écrit à toute vapeur, financé par des dons privés (budget total : 1,7 million de dollars canadiens). Un film pop, plus stylisé que *J'ai tué ma mère,* moins émotif aussi. En mai 2010, projeté à Cannes en sélection officielle dans la compétition « Un certain regard », ovationné en soirée de gala, le film récoltait à la fois éloges et bémols de la critique, et le nom de Xavier Dolan devint synonyme de souffle de jeunesse. L'automne dernier, la presse parisienne s'entichait du jeune Québécois présent sur toutes les tribunes et *Les Amours imaginaires* recueillait près de 150 000 entrées aux guichets français.

Ne dites pas à Xavier Dolan qu'il a toute la vie devant lui. Le cinéaste pose un regard inquiet sur l'état de la planète et carbure à l'urgence. « Plusieurs projets se bousculent. Et j'ai peur du temps qui manquera... » Il veut tourner un film en anglais, à New York, *Lettres à un jeune acteur,* adapté de la célèbre correspondance de Rilke : premier volet d'une trilogie sur l'amour et le milieu du cinéma. À l'horizon aussi : la télésérie *Des gens ordinaires,* et un film au Québec, *Juste la fin du monde,* adapté de la pièce de Jean-Luc Lagarce. Pour Xavier Dolan, l'avenir est aujourd'hui, comme une porte ouverte sur tous les possibles.

Odile Tremblay

À Montréal, les scènes dédiées au théâtre et à la danse foisonnent. Ces dernières années, la rencontre des arts du mouvement, du jeu et des nouvelles technologies, issue soit d'une familiarité avec les textes littéraires soit des pratiques de la performance, est quasiment devenue la règle. Elle stimule les créateurs audacieux.

THÉÂTRE ET DANSE : LE TEXTE ET LE CORPS SONT-ILS ROIS ?

« À Montréal, on aime ce qui bouge et qui dérange », déclare Francine Bernier, directrice de l'Agora de la danse. Dans ce lieu de diffusion réputé, comme sur d'autres scènes en ville, gestes, costumes et accessoires sont souvent épurés. Exit les décorateurs et les musiciens, place aux concepteurs de lumière et de son. Plasticiens et vidéastes, faites-nous voir l'invisible des corps.
Sur le plateau de danse, le silence entre dans la sphère sonore. On y danse en solo, nu, dodu, en chaise roulante, le corps moins athlétique, moins virtuose, plus familier. Du coup, une gestuelle moins frénétique que celle prédominant durant les jeunes années de la création contemporaine, marquée par ceux qui en sont devenus les guides – Édouard Lock, Ginette Laurin, Paul-André Fortier, Daniel Léveillé, Marie Chouinard et Jean-Pierre Perreault –, a trouvé dans les impulsions et les flux internes un imaginaire élargi à l'espace et aux relations.
Ces aventures débridées, cette esthétique minimale suscitent l'émotion du public. Souvent étonnant, le travail sur le corps tient non pas à l'abandon des narrations, mais à ses explorations sensorielles, attirées par l'incertain, l'interstice et l'organique. Les conventions ont changé. Des formes de non-danse, qui intègrent parfois l'absence d'harmonie, incarnent des situations floues du quotidien. Et l'imagination théâtrale, déjà si vive aux temps inauguraux, rebondit dans des modalités imprévues.
Ainsi, faisant appel aux médiums informatiques, à des capteurs sensoriels et aux nouvelles technologies du multimédia, les pièces récentes de Marie Chouinard et de Ginette Laurin relient énergies libidinales, motricité fine et connivences à un environnement sophistiqué. Indépendante de la musique, la danse capte le moindre paramètre physique. Estelle Clareton, José Navas, Dominique Porte, Danièle Desnoyers jettent des ponts entre la danse et ce qui atteste la présence, comme le souffle, le bruit ou la captation vidéo du mouvement. Lynda Gaudreau affiche son minimalisme. Dave St-Pierre, adepte du nu intégral, joue de la sincérité avec éloquence, tandis que Frédérick Gravel multiplie les dégringolades erratiques. En somme, tels qu'ils s'affichent à l'Usine C, au Théâtre Maisonneuve, à la 5e Salle, au Festival TransAmériques, à l'Agora de la danse ou par l'entremise de Danse Danse, les codes du jeu et de la représentation cherchent à mettre en échec les spectacles reposant sur une simple expérience de soi.

L'écho du monde

Une virtuosité inclassable voit le jour. Ces artistes seraient-ils en phase avec la création venue d'ailleurs ? Effet de mode ? Provocation ? L'inverse est plus proche de la vérité : quand le Ballet national du Canada invite Jean-Pierre Perreault ou Marie Chouinard, et quand les Grands Ballets canadiens de Montréal présentent Mats Ek ou Jiri Kylian à Montréal, tous deux situent leur répertoire au plus haut niveau. Pendant ce temps, aux Ballets Jazz de Montréal, Louis Robitaille, avec l'apport de jeunes chorégraphes canadiennes, Aszure Barton et Crystal Pite, pousse les techniques du ballet vers les formes discontinues inscrites au répertoire mondial.
Résolument international, le festival TransAmériques, multilingue et hybride, présente à Montréal du théâtre et de la danse depuis 2007. Sa programmation, avec ses entorses au bon goût

et à la normalité, aura-t-elle bousculé la rigueur, voire l'hyperréalisme, qui caractérise en règle générale l'identité artistique nord-américaine ? C'est le contraire. Les ravages causés par les maladies s'ajoutent aux drames de la guerre, sur la palette des créateurs montréalais qui, au théâtre ou en danse, entendent tout dire, tout montrer de la nature humaine. Du coup, le résultat est parfois spectaculaire. Il n'est pas rare que le public des premiers rangs affronte la laideur et la crudité attendue des iconoclastes Benoît Lachambre, chorégraphe, ou Julie-Andrée T., performeuse. L'anatomie y est devenue pensée et l'esprit d'une grâce imposée fuit au loin.
Quant au théâtre, le texte ne saurait être en reste, avec ou sans nouvelles technologies. Drame ou comédie, à Montréal, le théâtre se tient au plus près de la vie quotidienne. Social, déroutant, révolté, il affichera les textes de Lise Vaillancourt et de Jennifer Tremblay, deux de ses dramaturges, ou les contes urbains d'Yvan Bienvenue, tandis qu'Éric Jean, au Théâtre de Quat'Sous, met en valeur l'onirisme du répertoire québécois. À Montréal, le comédien est souvent adepte d'un jeu brut : il déstabilise le public, qui en redemande. Dans la foulée, Olivier Choinière invite le « spect-acteur » à déambuler dans des lieux emblématiques du mont Royal et du métro.

Des figures de proue

Par essence fugace, la magie scénique accorde les uns aux autres. Wajdi Mouawad ne serait pas le grand homme de théâtre qu'il est sans la conscience de l'espace dansé qu'il transfère au comédien. En clair, les metteurs en scène bougent eux aussi. La rigoureuse Brigitte Haentjens convertit ses mises en scène littéraires en architectures abstraites, et peut compter sur un public exigeant et fidèle, tout comme Denis Marleau, dont on lira par ailleurs une entrevue dans l'article « Le monde depuis Montréal », page 104. De son côté, François Girard conçoit des tableaux vivants, des opéras, des films et des numéros de cirque qu'il exporte ensuite à l'étranger.
En 2008 se tenaient à Montréal les États généraux du théâtre ; en 2009, ceux de la danse. Que de créateurs au portillon face aux aléas de l'aide publique ! Pour autant, de nombreux théâtres et maints studios de danse ont été rénovés. Mais le bâtiment n'est pas tout, et à l'Espace Go, au Théâtre Prospero, à La Licorne, la création collective et polymorphe l'emporte sur une mimétique où le texte habiterait seul le décor. Par ailleurs, des compagnies regroupées, comme Circuit-Est et Espace libre, choisissent d'unir leurs efforts pour affiner leur cohérence et leur singularité dans l'offre culturelle étendue faite aux Montréalais.

« À Montréal, on aime ce qui bouge et qui dérange. »

Mais à Montréal, le point de bascule, qui fait s'offusquer le public, existe-t-il seulement ? « Il n'y a pas assez d'échecs dans le théâtre montréalais, déplore le metteur en scène Martin Faucher, [...] trop de succès financiers, de succès médiatiques à force de *buzz,* de *hook,* de *hype.* [...] Pas assez d'aventures téméraires. » (*Jeu, Revue de théâtre,* n° 136, mars 2010.) Provocation, certes, car peu de créateurs campent sur des succès. Des carrières mouvementées le prouvent : quand un René Richard Cyr, metteur en scène des Michel Tremblay, Michel Marc Bouchard, René-Daniel Dubois, Serge Boucher, n'est ni en train de jouer ni de traduire, c'est qu'il signe une mise en scène au Cirque du Soleil, comme Dominic Champagne, familier de tels rebondissements.
Même au Théâtre du Nouveau Monde, réputé plus sage, plus attentif au répertoire, il n'est guère de tradition qui ne s'accommode du neuf. Pourquoi le metteur en scène Claude Poissant s'en tiendrait-il à la relecture des textes classiques, quand il monte si bien un texte de la jeune Geneviève Billette ? Pourquoi Alice Ronfard ferait-elle de même, alors qu'elle met en scène avec bonheur ceux de l'auteur confirmé Normand Chaurette ? Jean-Frédéric Messier, fondateur et codirecteur artistique de l'impertinent Théâtre Momentum, est un autre exemple de réussite à la fois au théâtre, en danse, à l'opéra et dans la musique, alliage qui plaît particulièrement au public adolescent.
Succès encore, la Maison Théâtre et le festival Les Coups de théâtre permettent à une dizaine de compagnies montréalaises de rejoindre le jeune public, tout comme le Festival international du conte fidélise un public qui n'a pas d'âge.

Au final, théâtre et danse se rejoignent. Qu'elles disloquent les postures ou ruinent les codes de l'art, les chorégraphies ressemblent aux dramaturgies de notre temps : elles portent en elles la culture de leurs cocréateurs, jouissive ou porteuse d'ombres, dans un souci constant d'invention.

Guylaine Massoutre

p. 47 : *L'invisible*, spectacle de Marie Brassard présenté à l'Usine C en avril 2009.

p. 48 : *L'eau qui danse, la pomme qui rit et l'oiseau qui dit la vérité*, treizième création de CHANTS LIBRES, compagnie lyrique de création, présentée les 19, 20 et 21 novembre 2009 à la salle Ludger-Duvernay du Monument-National, à Montréal. Musique : Gilles Tremblay. Livret : Pierre Morency. Mise en scène : Robert Bellefeuille.

JOURNAL DE LA CRÉATION

Une semaine dans la vie d'Évelyne de la Chenelière

Figure importante du théâtre montréalais, Évelyne de la Chenelière a écrit plusieurs pièces qui ont été montées au Québec ainsi qu'à l'étranger, et traduites en plusieurs langues : *Des fraises en janvier, Aphrodite en 04, Bashir Lazhar, Le Plan américain* (récipiendaire du prix de la meilleure pièce du festival Primeurs à Saarbrücken, en Allemagne, en 2009), *L'Imposture*, pour ne nommer que celles-là. À vrai dire, la jeune femme entretient avec la création des rapports presque boulimiques. Grande lectrice, elle écrit pour la scène, où elle joue régulièrement, tout en travaillant à un premier roman et en élevant une nombreuse progéniture avec son compagnon le comédien et metteur en scène Daniel Brière. La voici maintenant au cinéma. Ce journal de la création, Évelyne de la Chenelière l'a tenu sur le plateau du tournage du dernier film de Jean-Marc Vallée, *Café de Flore* (2011). Il renvoie l'écho de la joie de créer, laquelle ne va pas sans difficulté.

Dimanche 12 septembre
Dans le cadre de *Dramaturgies en dialogue,* une semaine organisée par le Centre des auteurs dramatiques, je suis invitée à animer une table ronde autour des pratiques théâtrales allemande et québécoise. Nous discutons, avec quatre dramaturges allemands invités, du théâtre, mais aussi plus globalement de notre rapport à la culture. Riches échanges, qui vont certainement nourrir la création que Daniel et moi préparons ensemble pour le printemps prochain. Plus tard, je suis au parc Jarry, avec ma plus jeune fille et son amie. Je les regarde un peu jouer, et je les écoute tout en écrivant. Margaux est la seule qui joue encore, parmi mes enfants. Les autres ont grandi. Je me souviens qu'ils jouaient tous les quatre ensemble, et leurs jeux préférés étaient des mises en situation qui leur permettaient de jouer un rôle. Ils choisissaient des contextes qui les forçaient à être des héros : *Nous étions des naufragés. Oui ! Nous étions sur une île remplie d'animaux dangereux.* Ou alors, souvent, ils se faisaient les victimes d'une autorité injuste ou cruelle : *Nos parents nous avaient enfermés, puis oubliés et, à la fin, nous allions trouver d'autres parents plus gentils.* (Au théâtre, on parle de catharsis.)

Lundi 13 septembre
Une chose nourrit l'autre. Je reviens d'une répétition. Nous préparons une lecture publique de textes qui ont marqué l'histoire de la revue *Liberté*. Je lirai « La poésie, mémoire du sacré », de Rina Lasnier, et « Éloge de la littérature », de François Ricard. Étrangement (ou pas), ces deux textes sont des déclarations d'amour à la littérature. Ils m'habitent et me forcent à retrouver le désir pur du travail, alors que je suis en train de terminer mon premier roman. Rina Lasnier écrit que le poète doit combattre l'« insuffisance ontologique » de la langue et François Ricard écrit que la littérature est la nouvelle de « notre déficit irrémédiable ». Vaste programme. Et pourtant j'ai la triste impression que l'art et la littérature, ici et maintenant, servent des carrières avant toute chose. Il faut une grande force morale pour ne pas céder à cette tendance…

Mardi 14 septembre
Visite du théâtre Espace libre. J'y ai amené trois des quatre dramaturges allemands avant leur retour à Berlin. Nos échanges ont été riches. Ils exercent un métier qui n'existe pas au Québec : dramaturge, mais au sens allemand du terme. C'est un poste qui a une grande autorité artistique et intellectuelle, puisque le dramaturge accompagne la direction artistique d'un théâtre, participant à la programmation des saisons, aux choix des textes et des équipes artistiques, rédigeant les écrits qui font état de l'orientation artistique de l'institution et de sa philosophie. Le dramaturge est également amené à accompagner plus précisément un metteur en scène durant sa création, à lui servir de guide lors du passage à la scène, documentant toute l'équipe artistique, suivant les répétitions, se faisant le gardien du sens en quelque sorte. Même s'il a la réputation d'être parfois un peu trop sérieux, « trop intellectuel », et d'empêcher le metteur en scène de s'égarer en paix (!), aucun théâtre ne peut concevoir de s'en passer.
Tristement, au Québec, nos théâtres préfèrent investir dans de nombreux postes de communication et de marketing, et ne pas s'encombrer d'un dramaturge dans leur équipe permanente… Voilà qui en dit long sur la nature de notre rapport avec l'art : nous en faisons avant tout le commerce.

Mercredi 15 septembre
La semaine passe lentement parce que mon amoureux travaille à Berlin et qu'il me manque… Je suis dans ma loge, j'ai deux heures d'attente avant de tourner ma prochaine scène dans le nouveau film de Jean-Marc Vallée, *Café de Flore.* J'aime bien les plateaux de tournage. Chacun est un spécialiste. Nous tournons dehors et il fait froid pour la saison. J'ai pris une soupe, et puis un roman d'Anne Hébert. Il faut que je le relise à voix haute, pour bien l'avoir en bouche samedi, alors que je le lirai devant le

public du Festival international de littérature (FIL). *Les Chambres de bois* est une œuvre très agréable à lire à voix haute, parce que les mots s'adressent à tous les sens. Je suis fascinée par la force évocatrice de cette langue. Ce roman est manifestement écrit par une poète. Laurence Olivier a dit « au cinéma, on me paie pour attendre ». C'est un peu vrai. Dans ma loge, j'ai le temps de lire le roman d'Anne Hébert au complet. J'aime jouer, et je prends mon travail au sérieux, je me prépare, je me rends disponible à une parole qui n'est pas la mienne, à la vision du réalisateur, à la dynamique qui se crée avec mes partenaires de jeu… mais je me rends compte que le métier d'acteur aura toujours, à mes yeux, une importance relative dans un projet artistique, qu'il soit théâtral ou cinématographique, et quelle que soit l'importance du rôle. Vu sous cet angle, je dois admettre que jouer me « repose » d'écrire.

Jeudi 16 septembre

Journée consacrée à l'écriture. Nous avons terminé le tournage ce matin à 3 heures. Je suis rentrée à la maison et me suis levée à 7 heures. Je ne m'en plains pas. J'aime cet état de somnolence, qui rend mes gestes plus lents, qui altère mes sens et, par conséquent, ma manière d'écrire.

Vendredi 17 septembre

Veille de ma lecture du roman d'Anne Hébert. Je suis nerveuse et je n'arrive à rien. Ce soir je reçois des collègues, tous de passage à Montréal. Ils ne se connaissent pas tous entre eux, mais ont en partage une passion pour le théâtre. J'aime bien ce genre de soirée, où tout peut arriver…

Samedi 18 septembre

Lecture d'Anne Hébert. J'ai introduit la lecture en disant : *Aujourd'hui, c'est un grand jour pour la littérature. Parce qu'il fait un temps magnifique, il y a dehors un soleil extraordinaire, et pourtant nous sommes là.*

Dimanche 19 septembre

Hier soir, grosse fête d'anniversaire pour ma fille de 14 ans, qui en rêvait. Quinze adolescents ont dansé, mangé, crié, et j'ai passé la soirée cachée, à les épier… Cet âge me bouleverse et m'émeut. Trois d'entre eux ont dormi à la maison, après avoir regardé un film d'épouvante, évidemment. Maintenant que tout est calme, Daniel me manque terriblement. Dans une semaine, je vais le rejoindre à Berlin.

Évelyne de la Chenelière

D'ART
CONTEMPORAIN
MUSÉE
D'ART
YVES SAINT LAURENT
29 MAI –
28 SEPTEMBRE
2008
LOVE
1379

LES ŒILLADES AUX NOUVEAUX PUBLICS

À Montréal, nombreux sont les musées et les ensembles musicaux qui multiplient les initiatives à la croisée des genres. Le but : attirer de nouveaux publics sans y perdre son âme.

On savait Kent Nagano rigoureux. Mais sait-on assez que le chef de l'Orchestre symphonique de Montréal (OSM) est aventureux ? En octobre 2010, l'orchestre interprétait Boulez et Mahler en première partie d'un programme dont la seconde, en collaboration avec le festival Mutek, faisait entendre deux ensembles berlinois de musique électronique. Jusque-là, rien d'audacieux, à deux détails près : le concert à l'alliage musical étonnant avait lieu dans un bâtiment industriel du Vieux-Montréal et il s'est prolongé jusqu'au tard dans la nuit, bien au-delà des 22 heures, où le public habituel de l'OSM s'engouffre dans les corridors du métro à la station Place-des-Arts. Plus tôt, en mai, sur la patinoire du Centre Bell, une version réduite de l'orchestre avait interprété les hymnes nationaux canadiens et américains avant le match de hockey opposant les Canadiens de Montréal et les Penguins de Pittsburg. Ces échappées, qui sont loin d'être une première, ne font même plus tiquer les puristes, puisqu'elles n'empêchent pas l'OSM de programmer Dutilleux ou Schubert, comme on s'y attend plus volontiers. Surtout, elles font connaître la musique classique à des publics qui ne la connaissent pas ou se croient incapables de l'apprécier, tout en ajoutant au sentiment d'appartenance que doivent éprouver les Montréalais à l'endroit de l'OSM et de son chef, suivant une alchimie qui semble inscrite dans le cahier des charges au moment de l'embauche.

À Montréal, dire que l'offre musicale classique est étendue est un euphémisme. En haute saison, les choix du mélomane sont souvent un crève-cœur : entre les récitals de la Société musicale André-Turp, les concerts des ensembles I Musici, Orion, Pantaèdre, ceux de la Société de musique ancienne de Montréal, des quatuors Bozzini ou Molinari, et de tant d'autres, il a l'embarras du choix. Cependant, tous ces organismes font face à la nécessité de renouveler un auditoire réduit en nombre et souvent, aussi, grisonnant. En 2000, l'Orchestre métropolitain (OM), créé en 1983, faisait le pari, à la fois esthétique et stratégique, de confier sa direction à un Yannick Nézet-Séguin alors âgé de 25 ans. L'initiative aurait pu n'être qu'un coup de pub si la mise en valeur du talent du jeune maestro ne s'était accompagnée d'un train de mesures (répétitions ouvertes aux aspirants musiciens, concerts dans les écoles…) destinées à séduire le jeune public.

L'OM n'est évidemment pas le seul à offrir des tarifs attractifs pour les jeunes. L'Opéra de Montréal donne à ses productions un look un brin déjanté, du moins dans son programme, accompagné de places à l'opéra à 30 dollars dans un forfait destiné aux jeunes. À la chapelle historique du Bon-Pasteur, tous les concerts en musique de chambre sont gratuits et la programmation de grande tenue, en dépit du famélique budget annuel de 250 000 dollars consenti par la ville de Montréal.

Un lieu privilégié

Si la musique classique est trop souvent réputée être réservée aux connaisseurs, que dire des musiques actuelles ? La conquête de nouveaux publics exige sans doute de faire un pas de plus. Récemment, une trentaine de compagnies œuvrant dans ce domaine ont fédéré leurs forces au sein d'un lieu de diffusion joliment nommé le Vivier. Chacune de son côté, ces compagnies – certaines bien établies comme la Société de musique contemporaine du Québec ou le Nouvel Ensemble moderne, d'autres de création plus récente comme Écoumène ou In Extensio, avec, entre les deux, des groupes aussi différents que l'Ensemble contemporain de Montréal, Bradyworks ou Constantinople – en était réduite à exister de manière confidentielle et à courtiser un public montréalais que le critique musical du quotidien *Le Devoir,* Christophe Huss, évalue, les bons jours, entre 800 et 1 000 personnes en ce qui concerne la musique de chambre, pour prendre cet exemple. Le Vivier se présente comme le carrefour des musiques nouvelles. « Certains pourraient nous voir comme des concurrents, explique la directrice générale du Vivier, Pierrette Gingras, mais envisager les choses de cette façon n'a aucun sens, car s'il existe une compétition, c'est avec d'autres formes de divertissement, pas entre nous. »

Récemment, le Vivier a été retenu, après appel de candidatures, par le ministère québécois de la Culture et des Communications pour occuper le très convoité édifice Saint-Sulpice, rue Saint-Denis. L'édifice classé, de style beaux-arts, qui appartient à l'État québécois, sera entièrement réaménagé à ses frais, à charge ensuite pour le Vivier d'assurer son fonctionnement. Les travaux qui débuteront à l'automne 2011 permettront l'aménagement d'une salle de concert multifonctionnelle, de studios d'enregistrement, de résidence d'artistes, le tout s'inspirant de l'action menée par le Réseau européen des centres culturels de rencontre. Créé en 1991 à Dublin, à l'initiative de l'Association française des centres de rencontre, de création plus ancienne (et qui compte notamment parmi ses membres la Fondation Royaumont et la Chartreuse – Centre national des écritures du spectacle à Villeneuve-lès-Avignon), l'organisme œuvre à la réhabilitation de lieux patrimoniaux ayant perdu leur vocation première, et cela en misant sur la création contemporaine, accompagnée d'une mission éducative auprès des publics.

Qu'en l'occurrence, le choix du ministère de la Culture se soit porté sur une discipline aussi exigeante que la musique contemporaine est plutôt réjouissant. La partie n'est pas gagnée pour autant. Pour l'instant, le Vivier est encore nomade. « Nous avons donné 15 concerts durant la saison dernière et attiré 2 000 personnes, ce qui veut dire une moyenne de 130 personnes par concert. C'est sûr qu'on pratique un art d'élite et d'avant-garde, reconnaît la directrice. On offre le nouveau, et les gens ne peuvent pas aimer ce qu'ils ne connaissent pas encore. Le défi, c'est de réduire le fossé entre le public et nous. » Dans l'édifice Saint-Sulpice, des salons d'écoute seront aménagés, où chacun pourra apprivoiser les sons et les œuvres à son rythme. « Les musiques de création ouverte, où le public est mis à contribution en faisant résonner un instrument, jouent également en notre faveur », fait remarquer la directrice, confiante d'attirer au passage de nouveaux auditeurs. Le concert vu comme une expérience participative : nous y sommes.

Tous au musée

Le renouvellement et l'élargissement des publics sont également des impératifs pour les musées. Au-delà des accomplissements artistiques de chacun, comment ne pas voir ce souci à l'œuvre quand le musée des Beaux-Arts de Montréal consacre, comme il l'a fait ces derniers temps, des expositions à Mile Davis, John Lennon, Yves Saint Laurent (en collaboration avec le Fine Arts Museum of San Francisco ; et cela deux ans avant une autre exposition sur YSL en 2010, à Paris, au Petit Palais) ? Quand le musée présente, dans son Carré d'art contemporain, les créations du designer de mode québécois Denis Gagnon, né en 1962 et toujours actif ? Pendant ce temps, dessins, mise en scène, slogans, figuration : le musée d'Art contemporain de Montréal met à contribution le public des jeunes pour concevoir un clip publicitaire (Macréativité – L'Art qui secoue) qui se répand comme un virus sur les réseaux sociaux. Comme quoi, les œillades aux publics ne manquent pas là non plus.

Depuis sa création en 1992, sur les lieux du premier peuplement français de Montréal, le musée d'histoire Pointe-à-Callière enregistre pour sa part une croissance régulière du nombre de visiteurs. En 2009, ils étaient plus de 400 000, en hausse de 23 % par rapport à l'année précédente. Certes, des expositions temporaires comme « Pirates, corsaires et flibustiers » ont compté dans cette performance, à laquelle la directrice et fondatrice du musée, Francine Lelièvre, attribue cependant des causes plus profondes. « Dès le début, explique-t-elle, nous avons privilégié la médiation culturelle. Systématiquement, dans les salles, nous avons remplacé les agents de sécurité par des guides animateurs, spécialement formés. De plus, notre mission étant de préserver l'authenticité d'un lieu qui est d'une lecture un peu difficile pour le public, nous avons adopté une approche de communication très contemporaine, voire avant-gardiste, en intégrant les nouvelles technologies. Des artefacts, oui, mais aussi un spectacle multimédia faisant appel à des jeunes créateurs montréalais qui avaient déjà fait leur marque à l'étranger. »

N'étant pas soutenu par l'État québécois en raison d'un moratoire, toujours en vigueur, sur l'accréditation de nouveaux musées, le musée Pointe-à-Callière doit pouvoir compter, pour son fonctionnement, sur ses revenus propres, ceux-ci s'ajoutant aux 4 millions de dollars accordés par la ville de Montréal. Pour autant, la fréquentation n'est pas le seul indice de succès pour sa directrice : il faut aussi compter avec le caractère professionnel du travail accompli par le musée, garant de sa crédibilité auprès des grands musées du monde. En matière de culture, ajoute-t-elle, « la difficulté aujourd'hui est de distinguer entre la culture du faux et celle du vrai. Ailleurs on peut bien proposer des expositions sur *Star Wars* ou sur le *Titanic,* mais elles sont surtout composées de reproductions. Ma définition de la culture est donc liée au discernement et à la hiérarchie. Il faut considérer qu'un musée a ses règles et sa spécificité et assumer la part élitiste de la culture. Voilà pourquoi nous ne ferons jamais d'expositions qui nous transformeraient en centre de loisirs ou en centre commercial ».

Le musée Pointe-à-Callière est en pleine expansion. Une première phase, au coût de 22,2 millions de dollars, devrait être achevée en 2012, prévoyant l'aménagement de trois nouveaux lieux archéologiques. L'achèvement de la seconde phase, prévue en 2017, au coût de 50 millions, verra alors la mise en place de

ce qu'il faudra bien appeler un complexe archéologique, où l'on pourra vivre une véritable expérience avec le passé de Montréal. Interrogez en effet les dirigeants culturels : « expérience » est devenu le maître mot pour désigner le rapport à instaurer avec le public. Un public qui tâte, manipule, effleure, touche et joue. Qui en somme répond présent.

Marie-Andrée Lamontagne

p. 53, haut : Musée d'Art contemporain.

p. 53, bas : Musée des Beaux-Arts de Montréal, Exposition YSL, 2008.

p. 55 : Musée Pointe-à-callières Vue de la Salle multimédia Hydro-Québec.

CHAP

TRE 2

VIVRE À MONTRÉAL

On va jammer icitte en hostie!
Je comprends rien.
Ça doit être l'accent!
MUZ

S'il est un sujet qui refait périodiquement surface à Montréal, c'est bien celui de la langue. Entendez ici la langue française, tout à la fois enjeu politique, culturel, affectif. Au-delà des chiffres, qui servent d'épouvantail ou de somnifères selon les points de vue adoptés, la question demeure : quelle mixture bout dans le chaudron du français à Montréal ?

LE FRANÇAIS ? QUEL FRANÇAIS ?

Montréal, deuxième ville de langue française au monde après Paris. La formule est un leitmotiv repris par bon nombre de Montréalais, surtout s'ils sont francophones, partagés entre inquiétude et fierté sur le sort de leur langue. Ne contestons pas cette formule. Ne l'étayons pas de statistiques, dont le lecteur trouvera un aperçu ailleurs dans ces pages. Les chiffres relèvent de l'arithmétique. La langue appartient au domaine du cœur. Celui de Montréal bat en français, ce qui ne rend pas les choses plus simples.

Une soixantaine de langues cohabitent à Montréal, mais ce sont surtout le français et l'anglais, deux grandes langues à l'échelle internationale, qui se disputent l'espace public. La première est majoritaire au Québec et minoritaire en Amérique du Nord ; les termes sont inversés pour la seconde : chez les locuteurs, bonjour la schizophrénie !

Sherry Simon, essayiste, traductrice du français vers l'anglais, professeur au département d'études françaises de l'université Concordia, a fait des langues et de Montréal un sujet de prédilection. « La plupart des villes dans le monde, explique-t-elle, ont une langue dominante sans contredit. Par exemple, à New York, c'est l'anglais. À Paris, c'est le français. Mais à Montréal, il y a un doute. L'immigrant qui vient s'y établir se trouve placé dans une situation triangulaire, et cela même si le français demeure la langue la plus importante. »

Le français, d'accord, mais quel français ? L'histoire (la coupure avec la France au XVIIIe siècle), la géographie (la situation en Amérique du Nord), le bilinguisme (56 % des Montréalais sont bilingues, selon des données de Statistique Canada en 2006), la diglossie (la cohabitation de deux langues, dont l'une hégémonique, l'anglais), les décisions politiques (en 1977, l'adoption de la loi 101 faisant du français la langue officielle du Québec), l'éducation (ses difficultés, la valse des méthodes pédagogiques), l'économie (la nécessité de maîtriser l'anglais dans un monde globalisé)... La liste des facteurs ayant infléchi le sort du français à Montréal pourrait s'allonger à l'infini si, en définitive, la langue parlée et écrite par chacun, dans la vie quotidienne, ne se révélait l'élément le plus déterminant.

Joual, *globish* et pidgin

C'est bien là le problème. Contrairement à ce que veut un certain cliché hexagonal, le joual n'est pas la langue des Québécois, mais un sociolecte montréalais présent dans les classes populaires, mélange de français et d'anglais rendu méconnaissable, à la syntaxe déficiente, langue bâtarde et blessée, signe d'aliénation économique et que l'écrivain Michel Tremblay a mis en scène, avec bonheur, au théâtre. En réalité, à Montréal, le français est varié et ne saurait être réduit au joual. Cependant, même s'il subsiste encore quelques traces des niveaux de langues selon que l'on se trouve rue Davaar, à Outremont, ou rue Ontario, dans l'est de la ville, le français parlé à Montréal tend, en gros, à se situer dans un registre nettement familier, pour dire les choses poliment. On vous dira que, ces dernières années, la même tendance est observée dans le français parlé en France, et que l'anglais roi est guetté par le *globish,* sorte d'anglais réduit à sa plus simple expression et servant de vecteur commun à des locuteurs non anglophones dans leurs échanges globalisés. Il n'empêche qu'au-delà des accents, eux aussi variés, le français pratiqué à Montréal par les francophones du cru ne manque pas d'être déroutant aux oreilles de l'étranger, voire rendu incompréhensible.

« Montréal est exceptionnelle en ce qu'elle est, que je sache, la seule ville à avoir connu au XXe siècle trois modernités dans trois langues : l'anglais, le français et le yiddish.

L'éditeur montréalais Giovanni Calabrese, patron des éditions Liber, créées en 1990, au catalogue riche en philosophie et en sciences humaines, n'y va pas avec le dos de la cuillère. Il n'y a pas de français digne de ce nom à Montréal, affirme-t-il, avec provocation : « C'est déjà un français hybride, rempli d'anglicismes, de vieux mots, de tournures étrangères, mise à part, bien sûr, la langue artificielle qu'est le français publié dans les livres. Il y a ici un fossé énorme entre la langue parlée et la langue écrite. À l'intérieur même de la classe, il y a un écart entre la grammaire que l'on croit bon d'enseigner et la façon de parler de l'enseignant. Tout se passe comme si on avait affaire à un prof de géographie qui peut très bien vous expliquer les lieux, les routes, etc., mais qui est toujours perdu dans la vie quotidienne. »
Cet ovni linguistique, c'est le français québécois, variante du français, estiment la plupart des Montréalais francophones ; langue en voie d'autonomisation, affirment les nationalistes les plus militants, qui ambitionnent de la voir se doter un jour d'une norme linguistique proprement québécoise, au risque d'enfermer ses locuteurs dans un ghetto au sein de la francophonie. En Chine, le mandarin appartient à l'espace public et les dialectes – du moins ceux qui perdurent –, à l'espace privé. L'arabe classique est la langue écrite du monde arabe et les diverses formes nationales d'arabe dialectal en sont la langue parlée. Aussi la question se pose-t-elle : le français québécois parlé serait-il en train de basculer dans un statut dialectal ? L'idée en fait frémir plusieurs – dont l'auteur de ces lignes – qui ne comprennent pas pourquoi les Québécois d'origine canadienne-française qui ont hérité, en raison de l'histoire, d'une langue à part entière pourraient vouloir se contenter d'un dialecte.
Pour Giovanni Calabrese, Montréal est le lieu où se donnent à voir, de manière criante, les blessures du français québécois, et cela malgré le geste politique qu'a été l'adoption de la Charte de la langue française (loi 101). Car faire du français la langue officielle du Québec ne confère pas pour autant une légitimité internationale au français québécois. « Ce français a-t-il un pouvoir structurant sur la parole ? interroge l'éditeur. À mon avis, le résultat est médiocre. À Montréal, un Vietnamien et un Portugais qui parlent ensemble parlent un pidgin [langue composite née du contact entre l'anglais et les langues orientales, *Ndlr*]. Il n'y a pas de véritable usage de la langue. » Quant à faire de cette langue « biscornue » une langue à part entière, le même s'y refuse. Le français québécois parlé, dit-il, est « une langue pauvre, qui n'a pas d'inventivité. Ceux qui sont admiratifs de son inventivité ne font que céder à un premier mouvement. Par la suite, très vite, ils entendent les fautes et se rendent compte que ce qu'ils croyaient être une langue dynamique est en réalité une langue pleine de défauts. »

Une maîtrise aléatoire

Il se trouve que l'anglo-montréalais, en raison de ses contacts avec le français, a pris lui aussi une couleur différente, hybride, par rapport à l'anglais, disons de Toronto ou de Londres. Cependant, « l'anglais se débrouille très bien avec les influences de toutes sortes, rappelle Sherry Simon, parce que c'est une langue dominante. Ce qui pose problème en anglais, c'est la maîtrise linguistique, car ces enfants qui grandissent dans plusieurs langues, en réalité, n'en maîtrisent aucune. »
Pour l'heure, du côté francophone, les divers camps se querellent à grands renforts de dictionnaires, d'études minutieuses et passionnantes comme celle des linguistes Lionel Meney (*Main basse sur la langue. Idéologie et interventionnisme linguistique au Québec*, Liber, 2010) et Marie-Éva de Villers (*Le Vif Désir de*

La richesse de ce passé a entraîné une hybridation féconde. Toute la ville n'est pas hybride mais, dans les zones de contact, il se passe quelque chose. » Sherry Simon

durer. Illustration de la norme réelle du français québécois, Québec-Amérique, 2005) ou de commentaires indignés sur le français bancal parlé à la télé, à l'Assemblée nationale ou à l'école, par ignorance et laxisme. « Montréal, explique Sherry Simon, est exceptionnelle en ce qu'elle est, que je sache, la seule ville à avoir connu au XXe siècle trois modernités dans trois langues : l'anglais, le français et le yiddish. La richesse de ce passé a entraîné une hybridation féconde. Toute la ville n'est pas hybride mais, dans les zones de contact, il se passe quelque chose. » « Pour connaître Montréal, écrit-elle aussi dans *Traverser Montréal. Une histoire culturelle par la traduction* (éd. Fides, 2008, trad. Pierrot Lambert), il faut – plus que pour d'autres villes – l'écouter. » Aussi, ayant laissé traîner une oreille dans divers lieux, au hasard de déplacements en ville, écoutons le résultat : aléatoire, grinçant, savoureux ou lisse – montréalais.

29 avril 2010, 7 h 30, deux écolières en uniforme, 12-13 ans, en route vers la station de métro Villa-Maria : « Why is Jean-Rémi frustrated with genre chapitre deux ? What's the fuck ? »
21 juin 2010, 17 h 10, deux jeunes femmes, à la station de métro Berri, dans l'escalator menant au boulevard Maisonneuve : « J'te dirais que les deux premiers mois, j'ai juste parlé en anglais et lui, il me répondait en espagnol. Après on a trouvé une espèce de joual. C'est drôle, hein ? »
20 octobre 2010, 8 h 30, trois jeunes hommes s'engouffrant dans le métro et apercevant la foule. L'un à ses camarades : « On va jammer icitte en hostie. » Le même, un instant plus tard au préposé au guichet, avec humour : « La fluidité du système n'est pas assurée, monsieur. »
8 octobre 2010, 16 heures, sur le quai de la station de métro Université-de-Montréal, trois jeunes gens qui discutent passionnément. Le plus volubile : « Je peux comprendre pourquoi je pourrais pas genre intégrer l'émancipation dans la dialectique de Nietzsche. »
8 octobre 2010, 17 h 45, rue Monkland, un jeune homme à une jeune fille, tout en marchant : « Y en a que son grand-père lui avait demandé d'aller bûcher du bois avec lui pis j'y ai dit tchèk j'vais y aller avec toi. C'était sur sa terre, à Saint-Calixte. »
17 avril 2010, 12 h 30, dans une succursale de la Société des alcools du Québec, au moment de payer, à la caisse. « Vous êtes tous français, ici ? » demande le client, avec un accent français. « Pas tous, répond le garçon. Lui, il est belge, et moi, français, enfin, breton. Vous savez aujourd'hui il faut être précis. C'est vrai dans tous les pays d'ailleurs. »
12 août 2010, 18 heures, une jeune femme au téléphone, sortant du métro Villa-Maria : « OK, I'm speedwalking, I am speedwalking ! »
10 juin 2010, 18 heures, deux jeunes femmes en tenue d'employées de bureau, dans une rame du métro, à Berri. L'une à l'autre : « Peut-être qu'i' t'aime lui plus que toi tu l'aimes. »
29 mai 2010, 7 h 45, en route vers la station de métro Villa-Maria, une jeune maman penchée sur sa petite fille, dans une poussette, et lui expliquant : « We gonna go in the maitcho. »

Marie-Andrée Lamontagne

RAP, HIP-HOP :
la langue qui joue

Montréal, mai 2003, dans un centre culturel de quartier. L'association Parc-Extension Youth Organization a prévu un atelier hip-hop pour les jeunes du coin. Des garçons pour la plupart. Au micro se succèdent les performances spontanées, où les rappeurs jonglent avec plusieurs langues — créole haïtien, grec ou espagnol — qu'ils font résonner avec l'anglais et le français, langues officielles du Canada. Le tout sur fond d'une société d'accueil, le Québec, résolument francophone.

Le quartier Parc-Extension est l'un des quartiers de Montréal les plus métissés qui soit. C'est là qu'atterrissent le plus souvent, chaque année, les milliers d'immigrants venus des quatre coins du monde qui ont choisi de s'établir au Québec. Eux-mêmes d'origine haïtienne, les animateurs de l'atelier organisé par le centre culturel sont conscients que le travail communautaire offre l'une des rares occasions d'emploi dans le monde du hip-hop. Le salaire est plus que modeste ; du moins le rap peut apparaître comme un capital à faire fructifier.

À Montréal, contrairement à d'autres villes nord-américaines où le hip-hop est intégré au commerce et à la culture populaire, la production hip-hop demeure marginalisée et peu commerciale. Dans les années 1980, des jeunes Jamaïquains et des Haïtiens établis à Montréal se rendaient régulièrement à New York pour copier sur des cassettes la musique et les clips des groupes du moment, qu'ils faisaient ensuite circuler dans les rues de Montréal. C'est ainsi qu'est apparue la culture hip-hop montréalaise. Et, peu commerciale, elle l'est demeurée depuis lors en grande partie. Du coup, plusieurs artistes hip-hop, tout en jouissant d'un statut professionnel, dépendent des centres communautaires et culturels pour jeunes pour toucher un revenu quelconque de leur art.

Cette particularité n'empêche pas Montréal d'être le terreau d'artistes rap aussi hétéroclites que talentueux, puisque la ville se situe au carrefour de divers flux migratoires et artistiques et de deux influences importantes, les raps américain et français. La première génération de rappeurs montréalais s'est incarnée dans les groupes KC LMNOP, Mouvement Rap français et Shades of Culture. Dans la foulée des groupes français MC Solaar et IAM, plusieurs rappeurs montréalais, dont Yvon Krevé, Sans Pression et Dubmatique, se sont alors réclamés de la langue française, à l'instar du groupe Loco Locass, dont le percutant « Malamalangue » résonne encore dans plusieurs esprits : « [...] Ma rage contre la machine est une mutinerie contre le mutisme/Ce séisme tranquille/Je m'infiltre, effronté/Forcé de fitter dans la foulée de ces fous paroliers/Qui mettent flamberge au vent/À tout moment/Pour défendre leur langue/Avant qu'exagérément exsangue/Elle pende comme une sorte/De langue morte (langue d'oc) OK/Je te l'concède/On est un peu cons et on cède/Nous aussi à la tentation/De parsemer not'tchatche locass/Du langage des fat ass/Un petit cool par-ci, beat par là/Whatever man, we speak like we.../"Speak white" Wouanh !/[...]. »

Lavi c'est one love

À l'intérieur des deux grands ensembles rap anglophone et francophone, le mélange des styles et des références est la règle. Les lieux de création sont franchement multiethniques, multiraciaux et plurilingues, même s'ils agissent aussi comme des vases communicants, si bien que l'anglais est souvent utilisé dans le réseau francophone, et le français dans le réseau anglophone. Sur le plan individuel, les réseaux d'appartenance se fondent sur la langue, la culture, le quartier et le statut socio-économique, ce qui a pour effet de morceler la ville : les Haïtiens et les Latinos dans le quartier Saint-Michel, les Noirs et les immigrants des Caraïbes dans la Petite-Bourgogne, les anglophones à l'ouest...

Pour sa part, le hip-hop francophone montréalais plonge tour à tour ses racines dans les cultures haïtienne, d'Afrique de l'Ouest et du Centre, maghrébine, canadienne-française et latino. Il en résulte une savoureuse soupe de langues et de dialectes : français, anglais, créole, lingala, espagnol, joual ou algonquin, comme chez le rappeur autochtone Samian. Les quartiers Saint-Michel, Parc-Extension et Côte-des-Neiges en sont les lieux de prédilection. Un exemple de croisement linguistique ? « La Vie Ti Neg » (1999), du groupe Muzion, né dans le quartier Saint-Michel, à dominante haïtienne : « Lavi a pa fasil se pou sa nou rasanble. [...] C'est one love, comme la paire des Antilles mon clan brille. [...] Black and proud to be, j'vise les gens aptes... »

Un courant du rap bien vivant à Montréal rassemble des chanteurs bilingues, pourvus d'une forte conscience politique. Ce courant porte le nom de « raptivisme ». Il est présent notamment dans le quartier Côte-des-Neiges, où est basé le groupe Nomadic Massive, qui entretient des liens avec d'autres groupes engagés du Canada, des États-Unis et de l'Amérique latine. Le « raptivisme » voit le hip-hop comme un instrument d'éducation, d'action communautaire et de changements sociaux. Ainsi les rappeurs de Nomadic Massive défendent la cause des Palestiniens ou celle des artistes gays à Cuba. Plusieurs de leurs textes sont en anglais, mais le français, le créole haïtien, l'espagnol et le portugais sont également présents.

Du quartier Côte-des-Neiges, le rap anglophone s'étend dans la partie ouest de la ville, vers les quartiers Notre-Dame-de-Grâce, Petite-Bourgogne et West Island. Tout aussi polyglotte que le rap francophone, le rap anglophone rassemble surtout des rappeurs venus du Canada anglais, des immigrants issus d'anciennes colonies de l'Empire britannique ou qui ont adopté un anglais mondialisé.

Mais qu'il soit francophone ou anglophone, le rap montréalais évolue dans un lieu paradoxal : il refuse les espaces clos, tout en poussant dans les quartiers, c'est-à-dire dans des milieux circonscrits par la géographie et la sociologie urbaines. Son caractère pluriethnique, pluriracial et plurilingue pénètre toute son activité : réseaux de camaraderie, production de clips, langues maternelles, langues des textes. Les cibles du hip-hop : la pauvreté, l'ignorance, l'isolement. Ses moteurs : la solidarité, la chaleur humaine, le changement social. Et, chaque fois, scandant son indignation : la jeunesse.

Marie-Nathalie LeBlanc et Gabriella Djerrahian, en collaboration avec Marie-Andrée Lamontagne

MONTRÉAL EST-ELLE LAIDE ?

Il a intérêt à ne pas être fatigué ni déprimé le voyageur qui, après avoir atterri à l'aéroport Pierre-Elliott-Trudeau, prend le chemin de Montréal – surtout s'il pleut. Bretelles d'autoroute, bâtiments en brique sans âme, enseignes de fast-food, centres commerciaux à répétition, immeubles d'habitation hérissés de balcons et d'antennes de télévision par satellite : Montréal est-elle laide ?

Métropole nord-américaine, Montréal l'est incontestablement, tant par l'esprit d'entreprise qui a présidé à son développement que par l'architecture qui lui donne aujourd'hui son visage. Cependant, cette architecture est elle-même tributaire de l'histoire démographique d'une ville qui compte 3,7 millions d'habitants en 2009, incluant ses banlieues, mais est demeurée jusqu'en 1825 un bourg de 25 000 âmes avant de connaître une croissance accélérée aux XIXe et XXe siècles.

Dès lors, le façonnement de Montréal aura tour à tour coïncidé avec la révolution industrielle anglaise, épousé l'esprit de rupture moderniste, reflété la croissance économique de l'après-guerre, se sera mis au vert et au développement durable des dernières années. Il en résulte une architecture composite, le plus souvent faite d'empilements et de juxtapositions, tantôt affligeants, faute d'un plan d'urbanisme d'ensemble, tantôt heureux, en raison de l'appropriation subséquente des lieux par les Montréalais. Comme s'en réjouit dans un ouvrage récent le professeur et chercheur Denis Proulx (« Montréal du fleuve à la montagne par l'art urbain », *in* Pierre Delorme (dir.), *Montréal, aujourd'hui et demain,* Montréal, Liber, 2010), la ville n'aura jamais eu son Haussmann, et pas davantage son Cerdà (Barcelone) ou son Burnham (Chicago). Entendez par là de grands gamins autoritaires qui déplacent ces cubes que sont les quartiers d'une ville et leurs populations au nom d'un geste urbanistique fort. Même si on a aussi beaucoup rasé et démoli à

C-12

Montréal, rien de comparable avec les travées brutales et visionnaires creusées par le baron Haussmann dans Paris au XIXe siècle. Le revers, poursuit l'universitaire, est que Montréal présente un aspect morcelé, qui la rend difficilement saisissable d'emblée et, du coup, moins séduisante.

Montréal a beau disposer d'un centre-ville habité par 50 000 à 60 000 riverains, fait rare en Amérique du Nord, et s'enorgueillir d'une mosaïque de quartiers-villages aux personnalités contrastées, elle n'en demeure pas moins une ville aux charmes à découvrir, pour dire les choses poliment. L'Anholt City Brand Index est un répertoire international qui classe les villes selon leur image de marque. Lorsqu'en 2006, Montréal y apparaît pour la première fois, explique le chercheur Benoît Duguay (« L'image des grandes villes : Montréal dans le monde », *in* Pierre Delorme, *op. cit.*), elle occupe le 13e rang au classement général, et pour des raisons ayant peu à voir avec ses beautés (ville abordable, verte, sécuritaire, soucieuse d'intégration des anglophones) qui ne souffrent pas la comparaison, dans les index internationaux comme dans les cœurs, avec celles de Paris, Rome ou Londres.

Montréal est ainsi faite qu'elle juxtapose dans un fatras insouciant les longs rubans kitsch de ses boulevards périphériques, des enseignes criardes, des murs tagués, les anciens hôtels particuliers de la rue Sherbrooke, les demeures bourgeoises du quartier Milton-Park converties en logements ouvriers, ornements victoriens compris, les silhouettes dantesques des raffineries de pétrole à l'extrême est de la ville, les parcs avec vue paisible sur le fleuve – et, au milieu de tout ce grouillement, serein, chtonien, le mont Royal, sa verdure, ses chants d'oiseaux.

« Bien sûr que Montréal est belle », proteste Dinu Bumbaru, piéton infatigable, directeur d'Héritage Montréal, organisme privé voué depuis 1975 à la défense architecturale et patrimoniale de la ville. Sa beauté, précise-t-il, tient souvent à un jeu étonnant d'échelles et de contrastes. Les bureaux d'Héritage Montréal sont situés rue Sherbrooke, où ils occupent l'entresol d'un couvent ayant appartenu jusqu'en 1979 aux religieuses du Bon Pasteur, dont la chapelle, désacralisée, est aujourd'hui l'un des hauts lieux de la musique de chambre à Montréal. Depuis le petit jardin à l'arrière, Dinu Bumbaru montre la juxtaposition d'échelles et d'époques : le jardin clos du XIXe siècle, le bâtiment quelconque voisin des années 1980 et, derrière un rideau de peupliers, la silhouette de verre de l'édifice Desjardins.

Quelques pas, et nous voici devant l'un des immeubles formant les Habitations Jeanne-Mance, ensemble de 788 logements sociaux construits entre 1958 et 1961, souvent décriés en raison de leurs lignes banales, dans un goût faussement moderniste. Il n'empêche, la façade de l'immeuble devant lequel nous nous trouvons scintille d'éclats de verre colorés agencés par les habitants, qui se sont découvert une fibre artistique sous la supervision des maîtres d'œuvre Laurence Petit et Christian Robert de Massy. « Spirale des possibles » est le nom donné à cette œuvre d'art populaire *in progress*. Sur la gauche, des potagers communautaires font signe ; devant, un jardin, des bancs, des tables pour pique-niquer sous les frondaisons. Qui a dit que logement social devait rimer avec bancal ou abandon ? Le portail donnant sur la rue Sainte-Catherine, explique Dinu Bumbaru, est maintenant laissé ouvert, ce qui permet au piéton d'emprunter une diagonale verte pour gagner la rue Sherbrooke. La beauté d'une ville, ajoute-t-il, c'est aussi la fluidité des échanges qu'elle permet. Autre juxtaposition d'échelles : l'ensemble de logements sociaux bordé par les gratte-ciel du centre-ville, le Quartier latin qui s'étend autour de l'UQÀM, le Quartier des Spectacles (voir l'article « Festivals à gogo : les Montréalais et la culture » page 13), des vestiges d'architecture villageoise héritée de l'ancien faubourg Saint-Laurent, comme en témoigne cette maison trapue à lucarnes, rue Sainte-Catherine.

« Montréal, commente l'architecte Gavin Affleck, interrogé quelques semaines auparavant, possède au plus haut degré cette capacité de mélanger les époques et de les faire cohabiter. » Intégrer le passé, même rendu invisible, juxtaposer les époques, c'est précisément ce qu'a fait la firme d'architectes qu'il dirige, Affleck + de la Riva Architectes, lorsqu'en 2008, elle s'est vu confier l'aménagement du square des Frères-Charon dans le Vieux-Montréal. Les passants qui goûtent un peu de repos dans ce square bordé par les rues McGill, d'Youville et Wellington savent-ils que le trottoir traversant le cercle de verdure qui y est dessiné rappelle le ruisseau qui coulait dans ce qui était jadis une prairie, tout comme les graminées des plates-bandes sont un clin d'œil au moulin à vent que la congrégation des frères hospitaliers charrons, propriétaires des lieux au XVIIe siècle, y avaient construit ? Rien n'est sûr. Du moins, le charme des lieux opère sans contredit.

Dans un minuscule bout de ruelle enfermé entre les rues Durocher et Aylmer et tout à fait dissimulé à la vue des passants, Dinu Bumbaru déniche une massive maison de ferme, vestige du passé rural de Montréal, dotée d'une véranda Belle Époque, d'une palissade en bois et d'un toit surélevé. Il en émane un charme de bric et de broc. Tout Montréal est là.

Marie-Andrée Lamontagne

p. 64 : Jour de cueillette des ordures ménagères à Montréal.

p.66, haut : Silos à grains dans le vieux port de Montréal.

p. 66, bas : Vue des piliers de l'échangeur Turcot de l'autoroute métropolitaine à Montréal.

I DO LOVE YOU, MONTRÉAL

Les anglophones forment 21,7 % de la population montréalaise. Au XIXe et jusqu'au milieu du XXe siècle, alors qu'ils étaient plus nombreux et dominaient l'économie, ceux-ci ont donné à Montréal son visage architectural, ainsi que plusieurs institutions culturelles. Depuis, les francophones se sont réapproprié une ville désormais française (66,3 %) et cosmopolite (12 % d'allophones), tous chiffres tirés d'une récente publication du Secrétariat à la politique linguistique du Québec (*La Dynamique des langues en quelques chiffres*) d'après des données recueillies pour le Grand Montréal au cours du recensement de 2006. Ce retour de balancier, même s'il n'est pas exempt de tensions épisodiques, ne semble pas troubler outre mesure les Anglos qui ont choisi aujourd'hui de vivre dans cette ville.

Montréal est une ville d'artistes. L'étranger qui sirote son café dans certains lieux – le Café des Arts et Le Cagibi dans le quartier Mile-End, le Shäika Café dans Notre-Dame-de-Grâce, Le Pickup dans Parc-Extension – pourrait en effet penser, et ce serait légitime, qu'il y a à Montréal plus d'artistes que de sujets disponibles et que, si tous les écrivains, les musiciens, les réalisateurs et les peintres décidaient de s'en aller, la ville n'aurait plus qu'à fermer ses portes, du moins jusqu'à la prochaine vague d'artistes.

« Toute ville a quelque chose de magique », rétorque la romancière Heather O'Neill, a priori sceptique quand on l'interroge sur le cachet artiste de cette ville où elle a grandi. « Serais-je un meilleur écrivain si j'avais grandi à Istanbul ? Qui peut le dire ? Et quel intérêt ? De toute façon, pour un écrivain, tout se passe à l'intérieur. » Sans doute. Mais si on demande leur avis à quelques autres artistes anglophones vivant à Montréal, il est évident que l'actuelle renaissance artistique que connaît la ville est attribuable à la convergence d'un ensemble de facteurs d'ordre économique, démographique, culturel et politique. Il est clair aussi que le caractère unique de Montréal, tout en présentant plusieurs facettes, repose en grande partie sur un aspect : la langue.

« De façon générale, on sent ici une inquiétude linguistique », commente l'écrivain Linda Leith, fondatrice de Métropolis bleu, festival littéraire multilingue et annuel dont elle vient d'abandonner la direction après treize ans. « À Montréal, nous ressentons presque tous l'anxiété associée à la condition minoritaire, mais la plupart du temps, et cela quelle que soit la langue maternelle de chacun, ça ne va pas au-delà du léger agacement. Il y a des tensions, oui, mais elles sont presque toujours fécondes. » Leith évoque l'« opéra-bouffe de la langue quotidiennement à l'affiche » dans cette ville. « Il m'est arrivé d'avoir de longues conversations en français, avec des commerçants, des serveurs au restaurant ou des voisins dans le métro avant de me rendre compte que mon interlocuteur était en réalité un Anglo. »

À vrai dire, chacun entre dans la valse des langues en fonction de son histoire personnelle. « Ma langue maternelle est l'américain de Chicago, explique le romancier et traducteur David Homel. C'est pourquoi, quand je parle anglais à Montréal, c'est encore une langue étrangère que je parle. Mon roman *Midway* porte sur cette ville, ses particularités, et le formidable terrain de jeux qu'elle incarne pour l'étranger. » Heather O'Neill se souvient de son enfance à Montréal. « La nouvelle petite amie de mon père était canadienne-française. J'ai donc grandi dans une maison où l'on parlait beaucoup le français. C'est elle qui nous a appris à hurler en français des obscénités ou à déclarer, dans cette langue, un amour éternel. Puis, elle a eu un bébé, ma demi-sœur, et ce bébé était si mignon qu'on ne lui parlait plus qu'en français. Du coup, si vous êtes vraiment mignon, je vous parlerai en français, c'est fatal. »

La romancière Kathleen Winter, originaire de la province de Terre-Neuve et installée depuis peu à Montréal, fait remarquer : « J'aime vraiment la rumeur française des rues de Montréal. Comme je n'en comprends à peu près que 60 %, il en résulte un agréable et mystérieux bruit de fond à mes oreilles. »

Le cinéaste Jacob Tierney est d'avis que « le fait de grandir dans un endroit obsédé par les langues est sans doute une bonne chose pour un écrivain ». Ce dernier a récemment réalisé deux

DÉPANNEUR SARA
Épicerie-Bière-Vin
514-273-2258
DÉPANNEUR
Épicerie-Bière-Vin
OUVERT
Slushie
282

longs-métrages de fiction, dont l'action se situe en grande partie dans le très anglais quartier Notre-Dame-de-Grâce. « L'obsession linguistique a irrigué mon travail, et pas seulement sur le mode de la lutte entre les langues, mais aussi de la langue en tant qu'arme et outil. Je pense que mes personnages, à des degrés divers, font usage des mots pour arriver à leurs fins. Cette manière de faire a pour moi quelque chose de très montréalais. Il est pour le moins bizarre d'être un cinéaste anglophone à Montréal quand on connaît toute la richesse du cinéma québécois – les Lauzon, Arcand, Lepage, pour ne nommer que ceux-là –, mais je constate aussi que ce cinéma est assez homogène. Une partie de moi a donc eu envie de montrer aux gens que Montréal est un lieu multiple, et non pas une seule et même chose. »

L'écrivain et traducteur Fred Reed est catégorique : « En tant qu'écrivain, le fait de vivre là où je vis – à Outremont, *s'il vous plaît* [en français dans l'original, *Ndt*] – n'a finalement que très peu d'incidence sur mon travail. En revanche, en tant que traducteur, l'océan linguistique où je nage en permanence est à la fois essentiel et déformateur, dès lors que notre usage de l'anglais est déformé par la proximité du français. »

Marika Anthony-Shaw est musicienne, membre des groupes rock Arcade Fire et Silver Starling. Cette native de Vancouver a pris racine à Montréal pour y recevoir une formation en musique classique à l'université McGill. Grâce à sa mère linguiste, la jeune musicienne est arrivée à Montréal avec le français dans ses bagages. Son parcours est emblématique de la scène rock indépendante, particulièrement florissante à Montréal, et de ce qui la caractérise : entraide, mélange des genres, musiciens qui jouent concurremment dans plusieurs groupes où se mêlent souvent anglophones et francophones, à l'instar des deux bands dont fait partie Marika Anthony-Shaw. « C'est affaire d'amitiés, dit-elle, au sujet de ses débuts sur la scène musicale. Il se trouve que tu connais des gens. Par exemple, Régine [Régine Chassagne, du groupe Arcade Fire, *Ndt*] et moi étions à l'université McGill ensemble. Puis, dès que tu sais quelque chose, te voilà en train de donner un show ici, un show là, et c'est parti ! Ma formation classique a aussi compté. Là d'où je viens, il est très fréquent de jouer avec des gens que tu viens tout juste de rencontrer. J'ai sans doute transposé au monde du rock ce qui est la règle pour un musicien classique. »

Les artistes interviewés vont-ils jusqu'à encourager les aspirants dans le métier à s'établir à Montréal pour y réaliser leurs rêves ?

« Bien sûr, répond Anthony-Shaw. Il y a ici des tas de gens talentueux, et intelligents, et aimables, et généreux, et ouverts. C'est l'un des grands bonheurs qu'offre cette ville. »

« Oui, déclare Homel. J'ai pu devenir ici un écrivain parce que cette ville m'a aidé à saisir ma chance. Je ne me sens pas entièrement chez moi ici, pas plus qu'ailleurs du reste, mais c'est là mon problème. Montréal est la ville au top pour les artistes : l'argent n'y est pas une obsession, la vie y est bon marché, l'État soutient les artistes et l'identité y est une préoccupation constante. Cette ville est une sorte de laboratoire social en matière de langues et d'immigration. »

« Je recommanderais Montréal à quiconque cherche à émigrer, dit Reed, mais pour des raisons qui ont peu à voir avec les loyers bas et tout à voir avec sa vitalité culturelle, son cadre linguistique très marqué socialement et politiquement parlant, ses éternels et vifs *débats de société* [en français dans l'original, *Ndt*] qui surgissent régulièrement, ses relents de corruption. »

« Oui, sans hésitation, déclare Tierney. La ville est bon marché, vibrante, elle a une riche histoire et un présent formidable. Montréal est une ville où tu peux vivre en tant qu'artiste, travailler, être inspiré, évoluer dans des milieux où se retrouvent des gens tout aussi cool, occupés à faire leur truc, et où tu peux jouir d'un niveau de vie supérieur à celui que tu pourrais avoir dans bien d'autres villes en Amérique du Nord. »

« Oui, dit Winter. Montréal est une ville jeune. Même les vieux y sont jeunes. Tu peux vivre dans les cafés. C'est la ville rêvée pour un artiste. L'hiver, c'est vrai, y est brutal, mais il y a une certaine poésie des troncs d'arbre noirs et squelettiques, et des vitres éclairées des bus circulant sous la neige. »

Pour que notre propos n'ait pas l'air trop utopique ou idyllique, laissons tout de même à Heather O'Neill le mot de la fin : « Les gens sont ici, dit-elle, soit parce qu'ils y sont nés, soit parce qu'ils ont fait l'erreur d'y suivre quelqu'un, garçon ou fille. Voilà pourquoi je parierais qu'ils sont maintenant malheureux en ménage ou redevenus célibataires. Car les Montréalais sont volages et infidèles. Autant que possible, évitez de tomber amoureux de l'un d'entre eux. »

Ian McGillis

Traduit de l'anglais par Marie-Andrée Lamontagne

ŒUVRES DES ARTISTES CITÉS

Littérature

David Homel, *Midway*, Cormorant Books, 2010 ; *Le Droit Chemin*, traduit en français par Sophie Voillot, Leméac, 2010, Actes Sud, 2011.

Linda Leith, *Marrying Hungary*, Signature Editions, 2008 ; *Épouser la Hongrie*, d'abord paru en français, traduit par Aline Apostolska, Leméac, 2004 ; *Writing in The Time of Nationalism*, Signature Éditions, 2010.

Heather O'Neill, *Lullabies For Little Criminals*, Harper Perennial, 2006.

Kathleen Winter, *Annabel*, House of Anansi Press, 2010.

Fred A. Reed, *Iran. Les Mots du silence*, coauteur avec Jean-Daniel Lafond, Les 400 Coups, 2006 ; *Anatolia Junction. A Journey into Hidden Turkey*, Talonbooks, 2009.

Cinéma

Jacob Tierney, cinéaste, *The Trotsky (Le Trotski)*, comédie, 2009 ; *Good Neighbours*, drame, 2010.

Musique

Marika Anthony-Shaw, violoniste, *The Suburbs*, Arcade Fire, Merge Records, 2010 ; *Silver Starling*, Last Gang Records, 2009.

S'il est vrai que le terroir est autant affaire géographique que culturelle, certains produits de bouche pourraient s'en réclamer qui relèvent moins d'un savoir-faire agricole traditionnel que du mode de vie propre aux grandes villes où les us des uns se mêlent aux coutumes des autres. Du coup, il existe bel et bien un terroir montréalais, enrichi depuis peu des terroirs québécois... qui explosent.

RÉVOLUTION DE PALAIS : LE TERROIR RÉINVENTÉ

Le terroir montréalais, c'est traditionnellement le *smoked meat,* plus particulièrement celui servi Chez Schwartz, boulevard Saint-Laurent. Le *smoked meat* est une spécialité culinaire arrivée à Montréal à la fin du XIXe siècle, avec les Juifs ashkénazes venus de Lituanie et de Roumanie. Le bas morceau qu'est la poitrine de bœuf est mis à mariner pendant plusieurs jours dans un mélange de condiments et d'épices puis cuit lentement et fumé. Découpée à la main en tranches fines juste au moment de servir, la viande est présentée en sandwich (d'où le genre masculin donné au mot par l'usage), entre deux tranches de pain de seigle, avec un cornichon en saumure. Sandwich de l'immigré pauvre, sandwich qui peut être sublime et vous cale assurément l'estomac pendant plusieurs heures, le *smoked meat* est à Montréal ce qu'est le nougat à Montélimar. Dans les films américains de gangsters, la scène où les truands se curent les dents avec des mines repues avant de retourner abattre la besogne du jour devrait figurer dans tout ouvrage de cuisine comme un exemple de résistance heureuse de la tradition au fast-food. À un détail près : c'est que le sandwich des truands américains est au pastrami (spécialité new-yorkaise), non au *smoked meat,* typiquement montréalais. Chez Schwartz, le décor sans prétention, quasi inchangé depuis 1928, date de l'ouverture de l'établissement, où défilent depuis les célébrités de la planète, compte autant que le moelleux de la viande au moment de lui conférer le rang d'institution montréalaise.

Le *bagel* est une autre spécialité ashkénaze qui court les rues de Montréal. Ce petit pain rond, troué au milieu, façonné, ébouillanté, enfourné, puis enrobé de graines de sésame ou de carvi, s'achète à la douzaine, de préférence dans l'une ou l'autre des boulangeries spécialisées des rues Saint-Viateur ou Fairmount, dans le quartier Mile-End, certaines ouvertes toute la nuit. Ah ! le goût imparable d'un *bagel* tiède, tiré d'un sac en papier kraft suintant d'humidité et savouré en joyeuse compagnie, à 3 heures du matin, dans la rue déserte, qu'est-ce d'autre sinon le goût de Montréal ?

Et la poutine ? Chose sûre, ce mélange vaguement boueux de frites, de sauce brune et de fromage cheddar en grains, qui jouit en ce moment d'une certaine faveur médiatique, n'est pas montréalais, même si la création d'une variante raffinée avec foie gras revient au chef montréalais Martin Picard. La poutine s'inscrit dans le courant américanisé de la culture populaire québécoise. Pour plusieurs, l'intérêt qu'elle suscite est moins gastronomique que sociologique. Ainsi, vers 2 ou 3 heures du matin, il n'est pas rare de voir des jeunes gens clore leur virée nocturne en avalant ce mets roboratif, servi sans façon sur un comptoir qui ne paie pas de mine ou dans certaines gargotes qui s'en font fièrement une spécialité. La poutine comme un signe de ralliement ? Peut-être. Pour bon nombre de gens, toutefois, elle a peu à voir avec les plaisirs de la table. Aussi, passons notre chemin.

Des terroirs foisonnants

S'ils en font volontiers leur ordinaire, les Montréalais ne se nourrissent pas que de *smoked meat* et de *bagels* – loin de là. Ces dernières années, une petite révolution du goût survenue chez les Québécois dans leur ensemble a fait se déverser sur les marchés et les tables de Montréal une profusion de produits se

Mc Intosh
2.50$
Mc Intosh
2.50$
Cortland
3$
5lbs

réclamant de divers terroirs du Québec. Saucissons, terrines, fromages – presque autant qu'en France, se vantent volontiers les Québécois –, cidres et vins de glace, saumon fumé, sucre d'érable, aromates divers, confitures : la liste des spécialités artisanales régionales qui se disputent les faveurs du public ne cesse de s'allonger. Pour ne rien dire du bio, marché en plein essor, au Québec comme dans la plupart des sociétés industrialisées. Pour réguler cette déferlante épicurienne, le Québec a adopté en 2008 une loi sur les appellations réservées et les termes valorisants, et mis en place un conseil, le CARTV, chargé d'attribuer les unes et les autres à bon escient, aussi bien dire avec parcimonie. Dans la foulée de la terminologie européenne, celle du Québec a prévu trois appellations réservées : l'indication géographique protégée (IGP), l'appellation d'origine (AO) et l'appellation de spécificité (AS). Jusqu'à présent, seul l'agneau en provenance de Charlevoix, élevé à petite échelle et suivant des règles strictes, ce qui lui donne une chair d'un fondant exquis, est estampillé IGP. En juin 2010, le cidre de glace du Québec s'est mis sur les rangs. La requête suit son cours.

À Montréal, les restaurants ne poussent pas toujours comme des champignons (il en est d'indémodables, comme L'Express, rue Saint-Denis, ou Le Petit Extra, rue Ontario), mais de nouvelles enseignes voient régulièrement le jour. Il y en a pour tous les prix, dans toutes les catégories, et on s'y rend comme au concert ou au spectacle, tant la carte fait souvent preuve d'inventivité. Montréal a ses chefs stars, Normand Laprise au Toqué, Martin Picard Au Pied du cochon, Jérôme Ferrer à l'Europea, et plusieurs challengers audacieux. Signe des temps ? De nombreux bars à vin ont en outre fait leur apparition, notamment sur le boulevard Saint-Laurent. Chaque année, en février, au plus froid de l'hiver, le festival Montréal en lumières fait miroiter des merveilles à savourer à l'intérieur d'un volet « Arts de la table », qui se déploie dans divers grands restaurants de la ville, en invitant pour l'occasion des chefs étrangers (en février 2011, la Française Anne-Sophie Pic, seule femme trois étoiles au Michelin actuellement).

Pour achever de se convaincre de l'actuelle révolution des palais survenue au Québec, il suffit d'entrer dans une librairie : le rayon cuisine y est traditionnellement bien garni, mais ces derniers temps, les ouvrages rédigés par des plumes québécoises mettant en valeur des saveurs québécoises se sont multipliés. À Télé-Québec, l'immense popularité d'une Josée di Stasio a décomplexé plus d'un Québécois en matière de fine cuisine, tout en suscitant des émules qui vont et viennent entre les cuisines de leur restaurant et les studios de télé. Certes, cette révolution des palais est nord-américaine. Qui aurait pensé, il y a dix ans, qu'on trouverait dans la sage Ottawa, dans la puritaine Toronto d'excellents restaurants pour inscrire avec bonheur à leur menu des produits fins du terroir canadien ? Cependant, Montréal, qui a une longueur d'avance en matière de bonnes tables, entend bien la conserver. Les terroirs québécois sont le bras armé de sa détermination.

Le goût imparable d'un *bagel* tiède, tiré d'un sac en papier kraft suintant d'humidité et savouré en joyeuse compagnie, à 3 heures du matin, dans la rue déserte, qu'est-ce d'autre sinon le goût de Montréal ?

La plupart des produits artisanaux des terroirs québécois, estampillés ou non, font le voyage jusqu'à Montréal, qui représente un marché convoité. Ils sont offerts dans les rayons spécialisés des supermarchés, dans les épiceries fines et trouvent tout naturellement leur place sur les étals des marchés publics, revenus en force après le règne des grandes surfaces dans les années 1960. Montréal compte quatre grands marchés publics, qui se tiennent tous les jours, même en hiver. Le plus vaste, le plus méditerranéen d'entre eux, est sans contredit le marché Jean-Talon, situé dans le quartier de la Petite-Italie. Mais ceux de Maisonneuve, d'Atwater et de Lachine sont également très fréquentés. En novembre 2010, le marché Saint-Jacques, le plus ancien de Montréal et qui appartient désormais à des intérêts privés, a de nouveau ouvert ses portes après une éclipse de plusieurs années. À ce nombre s'ajoutent 17 marchés de quartier, souvent situés aux abords du métro, ceux-là pliant bagages en hiver, alors que, tels des perce-neige, surgissent çà et là des baraques qui servent vin chaud et marrons grillés. Récemment, dans la foulée du mouvement *slow food* et du bio qui, bien compris, suppose de se nourrir de produits locaux, deux marchés fermiers, l'un sur le Plateau Mont-Royal (4265, rue Laval), l'autre dans le Mile-End (5039, rue Saint-Dominique) amènent sur les tables montréalaises les produits maraîchers venus directement des fermes situées dans les environs de Montréal, où se trouvent au demeurant les terres les plus fertiles du Québec.

Marie-Andrée Lamontagne

Les Cochons tout ronds
îles
les Cochons tout ronds

UNE JOURNÉE DANS LA VIE DE DEUX SALTIMBANQUES

À Montréal, l'École nationale de cirque, de réputation internationale, est au centre d'un dispositif appelé la Cité des arts du cirque. Celle-ci est en passe de faire de Montréal l'une des capitales dans cette discipline. C'est que, voyez-vous, le métier de saltimbanque, cela s'apprend.

Tout semble encore si proche. Les paillettes, les costumes trempés de sueur, les jupes des trapézistes, la robe rouge de Faon qui grimpe au ciel pendant son numéro de chaînes, les applaudissements. Ce matin, pourtant, le spectacle est terminé. Dans le mixeur de Maxim Laurin se mêlent allégrement pommes, bleuets, nectarines, mangues et yogourt. Le jeune homme a besoin d'énergie. À 19 ans, Maxim connaît déjà le mélange de folie et de rigueur qui est le lot quotidien des artistes de cirque. Dans quelques minutes, il chaussera ses patins à roulettes pour filer jusqu'à l'École nationale de cirque de Montréal, au nord de la ville. Là, Maxim Laurin retrouvera le Français Ugo Dario, son partenaire en planche coréenne, sorte de planche à bascule qui permet diverses acrobaties aériennes et est une discipline rare, très prisée des compagnies de cirque. La veille, tous deux ont présenté leur numéro au cours du spectacle *Cabaret,* conçu par la troupe de cirque montréalaise Les Sept Doigts de la main. Demain, Max et Ugo, avec cinq autres étudiants de l'École, s'envoleront pour Buenos Aires, où ils participeront à un atelier de création en compagnie des étudiants de l'École nationale de cirque portègne. Aujourd'hui, la journée promet d'être bien remplie. Max en a l'habitude. Les arts du cirque exigent de longues heures de travail et d'entraînement.

Une école réputée

À l'École nationale de cirque de Montréal, on parle français et on vient de partout. Après trente années d'existence, l'école a en effet la réputation d'être l'une des meilleures au monde, ou du moins en Amérique. « Les écoles de cirque qui offrent de la rigueur dans l'encadrement et la technique sont rares », explique Joachim Ciocca, venu de Suisse pour y étudier l'unicycle. Certes, d'autres écoles de cirque se distinguent dans le monde. L'École supérieure des arts du cirque de Bruxelles, par exemple, ou le Centre national des arts du cirque de Chalons-en-Champagne, l'Académie Fratellini à Saint-Denis ou le National Institute of Circus Arts en Australie. Sans parler, évidemment, des écoles russes et chinoises, qui proposent cependant des démarches radicalement différentes, à l'entraînement souvent presque militaire. De l'avis de plusieurs, l'École nationale de cirque de Montréal se démarque par son excellence technique et par le fait qu'elle demande à ses étudiants de monter un numéro au cours de leurs années d'apprentissage, numéro qu'ils pourront reprendre tout au long de leur carrière. L'École intègre en outre des disciplines comme la danse, le chant et le théâtre, de manière à donner aux diplômés la formation la plus complète qui soit.

Le phénomène des écoles de cirque est relativement récent dans l'histoire du cirque, où, traditionnellement, l'art se transmettait de père en fils ou de mère en fille dans des milieux plutôt fermés. L'École nationale de cirque de Montréal est née en 1981, à l'initiative d'une poignée d'artistes de cirque dont Guy Caron, son actuel directeur, qui rentrait alors d'une formation à Kiev. À l'époque, le méga-Cirque du Soleil n'en était qu'à ses balbutiements. Il réunissait un groupe d'échassiers et d'amuseurs publics de Baie-Saint-Paul, dans la région de Charlevoix, au Québec, dont un certain Guy Laliberté, aujourd'hui à la tête de l'empire. Depuis sa base montréalaise, le Cirque du Soleil a grossi, faisant

appel à des artistes dont certains sont de niveau olympique, tels les gymnastes. À l'heure actuelle, l'entreprise compte quelque 5 000 employés partout dans le monde, et présente 21 spectacles simultanément, de Macao à Las Vegas en passant par Tokyo. Mais toutes les créations du Cirque du Soleil voient le jour à Montréal, comme la quasi-totalité des costumes et des décors conçus pour ses spectacles.

En 1981, Faon Shane, qui partage la scène avec Maxim Laurin dans le spectacle conçu par Les Sept Doigts de la main, avait 8 ans. Sa mère, Josée Bélanger, faisait partie du noyau fondateur du Cirque du Soleil et Faon deviendra l'un des premiers enfants de la troupe. Accompagnée d'un précepteur scolaire, elle sillonnera le monde avec le Cirque, en tâtant différentes disciplines. Cependant, en cours de route, certains artistes de la compagnie, comme Faon Shane, ont éprouvé le besoin de travailler dans un cadre plus intimiste, laissant davantage de place à la création. C'est ainsi qu'en 2002, avec un groupe d'amis, Faon Shane a cofondé le cirque Les Sept Doigts de la main, qui, comme le Cirque Éloize, né plus tôt, en 1993, et depuis peu associé au Cirque du Soleil, jouit également d'une réputation internationale.

C'est donc peu de dire que le Cirque du Soleil a profondément marqué le milieu du cirque montréalais. Il en est la matrice et le vaisseau amiral. Jusqu'en 1997, ses bureaux administratifs vagabondent de lieu en lieu à Montréal, pour enfin se fixer au nord de la ville, dans le quartier Saint-Michel, sur le terrain d'une ancienne carrière de calcaire, un temps décharge publique puis vaste complexe environnemental de recyclage et de récupération. En installant son siège administratif dans cette zone urbaine déclassée, le Cirque du Soleil s'inscrit dans la tradition des troupes de cirque qui plantent leur chapiteau à la périphérie des villes. L'effet aimant ne tarde pas à se faire sentir : s'installent à proximité en 2003 l'École nationale de Cirque ; en 2004, la TOHU (clin d'œil à l'imagé *tohu-bohu*), organisme de diffusion dédié aux spectacles de cirque ; en 2005, la Cité des arts du cirque.

La capitale des arts du cirque

C'est en 1999, alors que le Cirque du Soleil envisageait d'agrandir son siège social, qu'a été lancé le projet d'une Cité des arts du cirque, qui visait à faire de Montréal une capitale mondiale des arts du cirque. « Avec l'École nationale de cirque et le siège social du Cirque Soleil, on avait des lieux de formation et de production, mais il manquait un lieu de diffusion », explique Stéphane Lavoie, directeur de la TOHU, dont l'organisme joue précisément ce rôle. Fruit d'une concertation du milieu, la Cité des arts du cirque fédère ces diverses composantes. À l'été 2010, la TOHU a ajouté un volet à ses activités en lançant le festival « Montréal complètement cirque ». Sous différents chapiteaux et dans différentes salles de spectacle, pendant l'été, la ville accueille simultanément des cirques en provenance d'un peu partout dans le monde.

Pourquoi s'arrêter en si bon chemin ? Comme d'autres, le metteur en scène Peter James, qui a dirigé récemment l'atelier de création de l'École nationale de cirque de Montréal, estime qu'il y a de la place à Montréal pour au moins une autre compagnie de cirque. « Il y a une demande sur la scène internationale pour des spectacles de compagnies montréalaises, renchérit Stéphane Lavoie, parce que le Cirque du Soleil, Les Sept Doigts de la main et le Cirque Éloize ne suffisent pas à la demande. » Les gens du milieu s'entendent dire que Montréal est la ville où vivre pour un artiste de cirque. Les compagnies du monde entier y recrutent activement, en raison de la double présence de l'École nationale du cirque et du Cirque du Soleil. Ayant participé à un défilé du Cirque du Soleil et travaillé un temps pour la troupe Les Sept Doigts de la main, Max est confiant : il trouvera facilement du travail une fois son diplôme obtenu, l'an prochain.

Cependant, qui a dit que l'art du cirque devait se décliner d'une seule façon ? À Longueuil, aux abords de Montréal, au pied du majestueux pont Jacques-Cartier qui enjambe le fleuve Saint-Laurent, le Cirque Akya a installé ses roulottes pendant l'été 2010. Formé du clown Chocolat, alias Rodrigue Tremblay, et de sa femme, Nicolette Hazewinkel, de leurs deux enfants, Franka, 14 ans, et Adrian, 11 ans, de leur chien Toupie, ainsi que de plusieurs artistes invités, le Cirque Akya renoue avec l'ambiance de fête foraine bon enfant et tranche avec la perfection technique et une certaine froideur qu'impose le Cirque du Soleil. « Quand on sort du Cirque du Soleil, on est ébloui, quand on sort du Cirque Akya, on est heureux. On veut ramener le cirque à une dimension plus humaine, plus sympathique », résume Chocolat, vieux routier de la scène montréalaise.

Max et Ugo sortent de l'École, où les répétitions viennent de se terminer. Ils ont à peine le temps de se rendre au théâtre Olympia, rue Sainte-Catherine, pour leur numéro dans *Cabaret,* dont le lever de rideau est prévu en début de soirée. C'est une vie intense qu'ils goûtent pleinement, la carrière d'un artiste de cirque étant brève, comme celle des danseurs. Dans la voiture qui les emmène au théâtre Olympia, les deux saltimbanques sommeillent un instant, côte à côte. Amis et associés sur scène, amis et associés dans la vie, leur relation est étroite, faite de confiance et de risque, celle en somme qui lie la communauté des artistes de cirque entre eux, pour le meilleur et pour le pire.

Caroline Montpetit

p. 77, 78, 79, 80 : Élèves de l'École nationale de Cirque à Montréal.

3

RÊVER MONTRÉAL – REGARDS SUR LA VILLE

Collège Brébeuf
Édouard-Montpetit
UNIVERSITÉ DE MONTRÉAL
École Polytechnique
Cimetière de
Notre-Dame-des-Neiges
de la Côte-des-Neiges
Parc Summit
St-Denis
Joseph
Plateau Mont-Royal
Rachel
Parc Lafontaine
Milton-Parc
Pins
Place-des-Arts
de Maisonneuve
Ville-Marie
St-Antoine
Notre-Dame
St-Patrick
University
Wellington
Rue de la Commune
Square-Victoria
Vieux-M

SHOCKING ! LE REGARD HORRIFIÉ DU CANADIEN ANGLAIS

Les Montréalais vous regardent les yeux dans les yeux. Pour le nouvel arrivant comme pour le visiteur, cela peut être déconcertant. Voilà douze ans que j'habite cette ville, et je ne fais que commencer à m'y habituer.

Comme la plupart des petits Canadiens-Anglais de ma génération, la première fois que j'ai entendu parler de Montréal – et mes premiers mots de français –, ce fut en regardant un match de hockey à la télé. Les Canadiens de Montréal jouaient. Éblouis par la vitesse et la fougue d'une équipe alors formée d'une écrasante majorité de Québécois, mes copains et moi, à Edmonton, tâchions tant bien que mal de saisir les propos du commentateur attitré du Forum [soit le vaste centre sportif où avaient lieu, à Montréal, jusqu'en 1996, les matchs de la Ligue nationale de hockey, *Ndt*] qui claironnait à l'intention du public les *buts,* les *assistes* et les *trois étoiles,* dont les noms étaient proclamés en apothéose à la fin de chaque match [les noms communs en italique sont en français dans l'original, *Ndt*]. On l'imitait par la suite, en jouant au hockey dans la rue. Avouez qu'il y a pire façon d'aborder une langue. À celui qui a appris à se mettre en bouche le nom d'Yvan Cournoyer, la prononciation française n'a plus rien d'effrayant.

Beaucoup plus tard, à l'âge de 35 ans, j'ai décidé de m'établir à Montréal et d'être écrivain. Aussi étonnant que cela puisse paraître, et malgré mon intérêt de longue date pour cette ville, je n'y étais jamais allé. Auréolée d'une enfance au hockey, ma vision de Montréal reposait en grande partie sur ce que j'avais pu glaner chez quelques écrivains – Mordecai Richler, Mavis Gallant, Leonard Cohen ou Brian Moore, dont le très beau roman *The Revolution Script,* aujourd'hui oublié, est un classique sur la crise d'Octobre [soit sur cette période agitée de l'histoire du Québec marquée, dans la décennie 1960, par diverses revendications politiques et sociales, parfois accompagnées de violence, et qui donna lieu à une vague d'arrestations arbitraires par les autorités canadiennes, *Ndt*]. En y réfléchissant bien, j'aurais dû savoir que ces excellents écrivains n'étaient pas les meilleurs guides pour aborder le Montréal de la fin des années 1990. Leonard Cohen, malgré sa dégaine indémodable, en est un bon exemple. L'adolescent sensible que j'étais avait lu *The Favorite Game* ; il était tombé sous le charme étrange de Breavman, avait été fasciné par les aventures d'un Krantz lâché en roue libre dans le Montréal d'avant la Révolution tranquille [période de bouleversements sociaux, qui au tournant des années 1960, vit la modernisation du Québec, *Ndt*]. « Rue Stanley, la ville avait installé de nouveaux lampadaires au néon qui jetaient une lueur fantomatique. Reflété sur le bleu et le vert des carreaux victoriens, le clair de lune blafard donnait à toute chair féminine un air de fraîcheur et de santé. » De toute évidence, c'était l'endroit où aller.

Eh bien une fois sur place, j'ai vite compris que les clairs de lune blafards et la fraîcheur des chairs féminines n'étaient pas le premier souci des gens. C'était l'hiver et la ville se remettait à peine d'une mémorable tempête de verglas. Sur le bitume verglacé, les passants, qui déambulaient avec des grâces de danseurs à claquettes, se rendaient au bureau à skis, en empruntant des rues ignorées du chasse-neige où ils se frayaient un chemin entre deux congères montant jusqu'aux fenêtres. Sans bagnoles, le décor urbain affichait un air à la fois préindustriel et postapocalyptique. Et même si on était quasi trois années après le référendum de 1995 [il s'agit du second sur l'indépendance du Québec, le premier ayant eu lieu en 1980, tous deux s'étant soldés par la victoire du « non », de justesse dans le second cas, *Ndt*], l'ambiance demeurait polarisée. Le camp vainqueur du « non », qui était en faveur du maintien du Québec dans la Confédération canadienne, était encore sur la défensive. Les souverainistes, qui avaient perdu, demeuraient convaincus d'avoir été spoliés d'un droit fondamental au moyen d'infâmes stratégies. De vieilles affiches traînaient : « *OUI ! Et ça devient possible.* » Arriver dans cette ville en provenance d'Edmonton donnait l'impression de débouler dans une querelle familiale qui venait de prendre fin.

J'eus une autre prise de conscience salutaire quelques heures après ma descente du train. Le français que j'avais appris à l'école, et que j'avais essayé tant bien que mal d'entretenir depuis lors, ne me serait ici d'aucun secours. Je suis le produit de cette période optimiste de l'histoire canadienne où il fut décrété que ce pays serait résolument bilingue. En pratique, un tel décret se traduisait le plus souvent par des profs à demi compétents qui galéraient pour maintenir une longueur d'avance sur leurs élèves et s'efforçait d'enseigner, qui plus est, une variante du français qui convenait davantage au boulevard Saint-Germain qu'à la montréalaise rue Saint-Denis. Du coup, ce qui m'était enseigné était le plus souvent une version édulcorée du français parisien revu et corrigé par un professeur canadien d'origine ukrainienne peu sûr de lui. Moyennant quoi, ma première tentative de communication en français, à Montréal, provoqua un flot ahuri de *tabarnaks* et de *câlisses* et autres objets de culte dont la qualité d'injures n'était perceptible qu'au ton énervé de l'interlocuteur. Le jour où j'ai appris à parler un peu moins avec l'accent de Jacques Cousteau et un peu plus avec celui du cru, j'ai résolu l'énigme sur laquelle avaient buté bien des Anglos avant moi, dont plusieurs pourraient reprendre à leur compte l'observation de l'écrivain Kathleen Winter, arrivée à Montréal après un détour par Terre-Neuve : « En fait, ce sont les immigrants qui me parlent en français, même si je fais des fautes dans cette langue, alors que les Québécois francophones passent aussitôt à l'anglais, même si j'insiste pour m'adresser à eux en français, ce qui peut être épuisant au quotidien. » Pour achever de compliquer les choses, disons que nous autres Anglos, nous ne pouvons jamais être sûrs que ce choix de l'anglais comme langue de communication est une critique de notre niveau de français (avec les inévitables sous-entendus politiques que cette critique suppose) ou l'expression d'un simple désir de pratiquer l'anglais. D'ailleurs, il se pourrait bien que ce soit les deux. Toutefois, poser la question ne va pas sans péril.

Cette virevolte des langues, ce sentiment de ne jamais savoir vraiment s'il convient de s'adresser à son interlocuteur en français ou en anglais, a quelque chose d'épuisant sur le terrain, mais elle fait partie de ce que l'excellent écrivain voyageur Jan Morris [femme écrivain britannique d'origine galloise, née en 1926, auteur notamment de portraits de diverses villes : *Venice,* 1960, *Hong Kong,* 1988, *Sydney,* 1992..., *Ndt*] a appelé le subreptice « art de surprendre » qui règne à Montréal. Natif d'Edmonton, c'est-à-dire d'une ville tout à fait représentative de la méfiance qu'entretient le Canada anglais à l'endroit de toute démonstration publique de plaisir, je suis régulièrement étonné de voir les Montréalais accepter avec bonhomie certaines pratiques qui, presque partout ailleurs, paraîtraient horriblement déplacées. Ainsi, la bière – la bonne vieille bière bon marché – n'est pas vendue à Montréal dans quelque réseau d'officines austères et contrôlées par l'État comme cela peut être le cas dans certaines provinces canadiennes, mais au dépanneur du coin [nom donné aux petits commerces de proximité, aux heures d'ouverture étendues, *Ndt*], sans pour autant que la société sombre dans une anarchie alcoolisée – mœurs nouvelles que j'ai adoptées sans peine, sans doute avec un peu trop d'empressement. Le boulevard Saint-Laurent, après la fermeture des bars, les vendredis et samedis soir, tient du mardi gras de La Nouvelle-Orléans, déguisements en moins, alors qu'un flot de fêtards se déverse sur les trottoirs et dans la rue, en ignorant avec superbe le trafic nocturne. J'habite avenue du Parc, dans un immeuble pris en sandwich entre des restaurants grecs traditionnels, aux cuisines ouvertes toute la nuit. Aussi, je ne compte plus les fois où j'ai été réveillé, au petit matin, par des chœurs de convives éméchés, rentrant joyeusement à la maison en beuglant des airs du pays. À Montréal, le règlement interdisant de fumer dans les lieux publics a été plus difficile à appliquer qu'ailleurs au Canada, et il est régulièrement enfreint. Dans l'une de mes librairies préférées, chacun peut voir en tout temps le patron trônant derrière la caisse enregistreuse dans un nuage de fumée béat, la fenêtre légèrement entrebâillée, comme un pied de nez aux gardiens de la santé publique. Jusqu'à présent, personne n'a porté plainte.

Par un après-midi de printemps, en semaine, alors que je flânais dans la rue Duluth, je remarquai un attroupement de plus en plus nombreux. Curieux, je m'approchai et vis que celui qui se tenait sur l'estrade improvisée était nul autre que le chanteur vedette Jean Leloup, qui expérimentait quelques nouvelles chansons au cours d'un concert impromptu, sans sono, comme s'il avait été chez lui, entre copains. À un certain moment, un chien bondit sur la scène et ponctua de ses aboiements les arrangements musicaux de Leloup. Le chanteur, qui n'était pas monté sur scène depuis un moment, avait pris du poids. Du coup, la moitié de l'assistance semblait ne pas savoir qui il était, ce qui ne faisait qu'ajouter à l'ambiance improvisée. Une

Je suis le produit de cette période optimiste de l'histoire canadienne où il fut décrété que ce pays serait résolument bilingue.

bouteille de vin circula entre les rangs et parvint jusque sur la scène où le chanteur, allégrement, fit cul sec.

Les Montréalais se targuent d'avoir l'esprit de contradiction, trait visible à mille signes. Au carrefour, les piétons se tiennent à un mètre du trottoir, à un cheveu des voitures vrombissantes, et cela apparemment sans autre raison que celle voulant que ce soit interdit. Au contraire, à Edmonton, les piétons attendront sagement que le feu passe au vert, même si la voie est libre.

Le zonage urbain est une notion manifestement inconnue à Montréal, ce que j'ai découvert un jour en prenant pour des amis des photos du défilé du Père Noël, rue Sainte-Catherine. C'est seulement en regardant les tirages papier que j'ai vu, derrière le jovial Père Noël et juchée sur la marquise aux couleurs criardes d'un établissement pour messieurs appelé « Sexe Cité », une *mademoiselle* aux seins lourds et nus et qui envoyait de chaleureux « Joyeux Noël ! » aux passants.

Ce goût de la liberté s'étend à la sphère domestique. Montréal est une ville de locataires, les lois favorisant les locataires plutôt que les propriétaires. Même si ce parti pris a tout pour plaire au socialiste en moi, nul ne peut nier le fait qu'il encourage, entre autres travers, un certain mépris à l'endroit de ceux qui habitent de l'autre côté de la cloison (très mince, croyez-moi). Ainsi, les voisins ne se formalisent pas de faire du boucan pendant toute la nuit, et se plaindre paraîtra une façon mesquine de montrer que vous venez d'ailleurs. Dans trois appartements que j'ai habités successivement, je me suis retrouvé aux côtés de voisins dont la discothèque semblait se réduire à l'album *Dummy,* de Portishead, aux graves sidérants. Longtemps, le bruit et le manque de sommeil m'ont rendu furieux : voilà une ville qui se veut créative et qui semble conspirer à tout moment pour nier aux artistes l'espace et la quiétude dont ils ont besoin pour créer. Avec le temps, je me suis fait une raison, le déclic s'étant produit le jour où j'ai compris que s'ils pouvaient, *eux,* faire de la musique jusqu'à tard dans la nuit, je pouvais en faire autant. En outre, il vaut toujours mieux bien s'entendre avec *les voisins,* ne serait-ce que parce que vous les avez constamment sous les yeux : les fameuses arrière-cours communes et leurs balcons que l'auteur de théâtre David Fennario a rendus célèbres dans la pièce *Balconville* transforment *de facto* en village l'arrière de tout immeuble construit en triplex. Pendant un temps, j'ai habité deux étages au-dessus de trois générations de skinheads tatoués qui ont passé l'été à se prélasser dans leur *piscine hors terre,* comme des aristocrates dans un monde à part. Dans le quartier Rosemont-La Petite-Patrie, depuis mon balcon en vis-à-vis, j'ai été directement initié par un autre de mes voisins à une survivance culturelle tout à fait fascinante pour le fan de musique pop que je suis, à savoir que le rock progressif anglais des années 1970 est demeuré extrêmement populaire auprès des jeunes Montréalais de sexe masculin. Qui n'a pas été harangué, en français, sur les méfaits de l'impérialisme culturel, par un jeune homme portant un tee-shirt à l'effigie du groupe Genesis, celui-là n'a jamais reçu un véritable choc culturel.

Un jour que je montrais la ville à un couple d'Allemands de passage, j'ai été étonné d'apprendre que l'adjectif « délabrée » était celui qui leur venait à l'esprit pour décrire celle-ci. J'aime penser qu'il s'agit d'un compliment : c'est-à-dire que la ville est dans un état permanent de délabrement magnifique, en partie attribuable au fait que les Montréalais sont trop occupés à s'amuser pour s'encombrer de choses aussi triviales que la rénovation extérieure – du moins dans certains quartiers. S'il est un emblème de Montréal prisé des photographes de cartes postales, c'est bien celui de ses escaliers extérieurs : d'accès malaisé, périlleux en hiver, menaçant régulièrement de s'effondrer, mais qui ont de la gueule, incontestablement, et font partie du décor au même titre que les volets parisiens ou les escaliers en marbre de Baltimore. La même esthétique – de guingois, mais d'une subtile *justesse* – peut s'appliquer aux Montréalais eux-mêmes, qui préfèrent se donner un look du tonnerre avec trois bricoles plutôt que de céder à la dernière mode. Ce trait, je l'ai vérifié souvent auprès de mes amies canadiennes – et dans une certaine mesure auprès de mes amis aussi – venues s'établir à Montréal : au début, leur look a l'air un peu rapporté, mais au fil des semaines et des mois, subtilement, mystérieusement, elles se « montréalisent », jusqu'à avoir l'air d'avoir toujours vécu ici. Il faudra bien qu'un jour un photographe curieux documente cette métamorphose et en fasse un livre.

Pour finir, une dernière bizarrerie : on aime bouger dans cette ville. J'ai longtemps pensé que cette bougeotte était incongrue, qu'elle heurtait mon goût profond d'Albertain pour les racines et la stabilité. Puis je me suis fait une raison. Jusqu'à présent, j'ai habité dans dix rues différentes de Montréal. Interrogez-moi et je vous réciterai leurs noms comme un poème, chaque nom de rue faisant remonter en moi des souvenirs d'une intensité toute proustienne : Saint-Viateur, Hôtel-de-Ville, Casgrain, Esplanade, Parc, Addington, Mozart, de l'Épée, Alma, Saint-Dominique. Abordez-moi dans un bar, dans un café ou sur un banc public, et ce sera à vos risques et périls, car je serai intarissable sur chacune de ces rues. Et c'est les yeux dans les yeux que je vous raconterai mes histoires.

Ian McGillis

Traduit de l'anglais par Marie-Andrée Lamontagne

BUBBLE TEA
珍珠奶茶
Mo Mo
Coffee-mate
Coffee-mate
Poussez

LE REGARD OPTIMISTE DE L'IMMIGRANT : ENTRE FANTASME ET RÉALITÉ

Refaire sa vie dans le Nouveau Monde : voilà qui fait toujours rêver l'immigrant, même s'il ne s'agit plus, comme aux siècles passés, de s'embarquer sur un navire pour une longue et périlleuse traversée, dans l'espoir de fouler un jour les trottoirs de l'une ou l'autre de ces villes d'Amérique que l'on dit pavées d'or. Il n'empêche que la ville rêvée apparaît d'abord parée de toutes les vertus. Montréal n'échappe pas à la règle. En ces temps de métissage et de flux migratoires, Montréal attire, Montréal retient, parfois. Entre fantasme et réalité, notre journaliste a suivi les traces de quelques Néo-Montréalais, rêveurs rendus plus lucides à l'usage.

La première fois que Khalid Mrini, venu du Maroc, a mis les pieds à Montréal, en 1981, l'agent d'immigration qui devait l'accueillir à l'aéroport n'était pas au rendez-vous. Le nouvel arrivant s'est donc tourné vers le préposé d'un comptoir de change pour lui demander son chemin. « Il parlait québécois, le type, mais sur le coup j'ai pensé qu'il parlait anglais tellement son accent était fort, et j'ai cru que je m'étais trompé d'endroit », raconte-t-il, quelque trente ans plus tard.

En ce mois de septembre 2010, c'est ramadan dans le quartier de Montréal, désormais appelé le Petit-Maghreb, rue Jean-Talon, près de Saint-Michel. À la tombée de la nuit, le restaurant où nous avons rendez-vous se peuple peu à peu d'habitants du quartier qui viennent y rompre le jeûne, après le coucher du soleil. À vrai dire, ce n'est que depuis trois ans environ que le quartier est devenu le point de chute d'une communauté maghrébine essentiellement algérienne, explique Khalid Mrini. Lui-même, marocain, était quasi le seul Maghrébin à y habiter lorsqu'il s'y est établi dans les années 1990. Mais pourquoi a-t-il émigré à Montréal ? C'est pour ne pas poursuivre ses études en Europe, comme le faisaient la plupart des jeunes Marocains bien nantis, qu'il a choisi de venir étudier au Canada. Montréal s'est imposée en raison de la langue française. « Les Québécois ressemblent aux Marocains, commente Khalid Mrini avec le recul, ils sont chaleureux et ont le sens de l'hospitalité. »

En va-t-il de même des Montréalais ? L'homme répond par une anecdote. À la fin des années 1980, il décide de voir un peu de pays. Il part donc en voiture pour la Gaspésie, un pays « plus loin que le soleil », comme il se plaît encore à le désigner aujourd'hui, roule toute la journée et fait halte le soir venu, dans un petit village, où il se heurte aux portes closes de l'hôtel. Démuni, il frappe à la porte d'une maison, où on lui offre aussitôt le gîte et le couvert. « On n'aurait jamais vu ça à Montréal, constate-t-il. Les Québécois sont de nature méfiante, précise-t-il cependant. Ce ne sont pas les Québécois qui vont venir vous chercher, c'est vous qui devez aller vers eux. » Voilà pourquoi Khalid Mrini déplore, par exemple, que bon nombre de Marocains de Montréal soient branchés en permanence, grâce au satellite et à Internet, sur les chaînes de télé de leur pays d'origine. Bien sûr, rien n'est parfait sur sa terre d'accueil... Devenu depuis homme d'affaires, Khalid Mrini fut un temps président de l'exécutif du Parti québécois (parti politique provincial prônant l'indépendance politique du Québec par rapport au Canada) dans la circonscription électorale de Viau. Mais il a démissionné de ses fonctions, entre autres raisons, après qu'un militant lui eut signifié le jour de la Saint-Jean-Baptiste, fête nationale des Québécois, que ce n'était pas un immigrant qui allait lui montrer comment faire un pays...

Le désir de rapprocher les cultures reste vif chez Khalid Mrini, qui, à la quarantaine, a mis sur pied à Montréal une équipe de hockey marocaine où jouent côte à côte juifs et musulmans. Pour former son équipe, Mrini a recruté des joueurs juifs marocains qui évoluaient jusque-là dans une équipe de hockey israélienne. Récemment, l'équipe marocaine a même battu, au cours d'un match d'entraînement, une équipe formée de Québécois « pure laine », ce dont l'entraîneur n'est pas peu fier. Mais, équipe de hockey marocaine ou non, Khalid Mrini, comme du reste la plupart des Montréalais, demeure un fan des Canadiens de Montréal, qui défendent les couleurs de la ville dans la Ligue nationale de hockey. « Je les ai dans le sang », affirme-t-il avec une flamme dans les yeux.

Pour sa part, Khalid Mrini n'aura eu qu'une très courte carrière sur la glace vive des patinoires extérieures, dans les parcs de Montréal. Un jour, après avoir déniché une paire de patins et s'être aventuré sur la glace, seul à la tombée de la nuit, loin des regards indiscrets, notre homme s'est rapidement retrouvé le cul sur la glace ! L'épisode n'aura duré que trente secondes, mais suffisamment pour donner à Khalid Mrini l'envie de prolonger la station assise, cette fois décemment, sur les gradins, avec les supporteurs, et sans patins...

Des *boat people*

Lorsque j'étais adolescente, des Vietnamiens ont repris un jour l'enseigne Perrette, aujourd'hui intégrée à la chaîne Couche-tard, d'un petit commerce de proximité situé rue Sainte-Catherine, non loin de chez moi. Au Québec, ces petits commerces, aux heures d'ouverture étendues, sont appelés des « dépanneurs ». Tard le soir, lorsque je faisais tinter la sonnette de la petite épicerie pour y acheter un litre de lait ou un paquet de cigarettes, je ne manquais pas de remarquer le petit lit dressé derrière la caisse. Et il m'arrivait souvent d'apercevoir l'un des employés de l'épicerie allongé sur cette couchette où il tentait de récupérer un trop rare sommeil.

Ce n'est qu'aujourd'hui, trente ans plus tard, au moment de mener cette enquête, que j'apprends que ces Vietnamiens étaient en réalité le père et l'oncle de Kim Thuy, romancière québécoise d'origine vietnamienne, dont le très beau roman *Ru,* paru en 2009 (éd. Libre Expression, Montréal ; Viviane Hamy, Paris), raconte son arrivée en terre canadienne en 1978, après un séjour dans les camps de réfugiés de Malaisie. « Je travaillais moi-même au dépanneur Perrette, explique Kim Thuy, mais nous n'y étions qu'employés. C'était mon oncle qui avait la franchise. Moi, je rêvais surtout de m'acheter un *popsicle* [un esquimau, *Ndlr*] aux bananes. Mais cela coûtait 5 sous et je n'avais pas les moyens de me le payer. Encore aujourd'hui, un *popsicle* aux bananes, c'est resté dans ma tête quelque chose de coûteux. »

À l'époque, Kim Thuy, qui n'était âgée que d'une dizaine d'années, avait déjà bien des souvenirs derrière elle. Fuyant le Vietnam en bateau avec sa famille, aux lendemains de la chute de Saigon, qui verra ensuite la réunification du pays sous un régime communiste, la fillette a connu les camps, sans électricité ni confort, même précaire, avant que le père décide d'embarquer toute la famille pour le Canada, qui avait accepté de les accueillir. « Dans mon imaginaire, le Canada, c'étaient des igloos avec le Père Noël dedans, se souvient Kim Thuy. À l'époque, j'aurais préféré la France. Les États-Unis avaient été très impliqués dans la guerre, et la France représentait l'Indochine. Mais c'est le Canada qui nous a offert l'asile en premier et nous avons accepté. »

Dans le Vietnam d'avant la guerre américaine, la famille Thuy avait mené une existence bourgeoise, dans une luxueuse maison au personnel nombreux, toutes choses proscrites sous le régime communiste. C'est avant tout pour le bien de ses enfants que le père de Kim Thuy a résolu d'émigrer, raconte-t-elle. Après la guerre, l'accès à l'éducation avait changé, et les enfants des militants communistes étaient favorisés au détriment des autres. C'est donc à Granby, petite ville située à 80 kilomètres au sud-est de Montréal, que la famille est envoyée, à son arrivée au Canada, avec d'autres familles vietnamiennes dans la même situation. « Je me souviens qu'à notre arrivée, on était sale, on avait des poux, on avait la peau galeuse. Mais les gens qui nous accueillaient à Granby nous regardaient comme si on était des petits trésors, des petits bijoux, de belles fleurs. »

Dès ce moment, Kim Thuy a voulu considérer Granby comme sa seconde ville natale, et cela *même si* les difficultés n'ont pas manqué :

– même si elle a dû y cueillir des haricots, dans les champs, comme ouvrière clandestine, où un camion la conduisait, après l'école, avec d'autres membres de sa famille ;
– même si ses parents se sont vu refuser l'aide financière prévue pour la francisation des immigrants, les autorités ayant estimé qu'ils parlaient déjà bien le français ;
– même si sa mère, qui n'avait jamais travaillé de sa vie, s'est vue contrainte de faire des ménages pour survivre ;
– même si son père, professeur de philosophie et homme politique en vue au Vietnam, a dû, au Québec, travailler en usine ;
– même si, une fois la famille installée à Montréal, le père devait parfois dormir derrière la caisse enregistreuse de son Perrette pour pallier le manque de sommeil lié à un surcroît de travail.

À la fillette de 10 ans qu'était Kim Thuy à son arrivée au Québec,

> Le désir de rapprocher les cultures reste vif chez Khalid Mrini, qui, à la quarantaine, a mis sur pied à Montréal une équipe de hockey marocaine où jouent côte à côte juifs et musulmans. Pour former son équipe, Mrini a recruté des joueurs juifs marocains qui évoluaient jusque-là dans une équipe de hockey israélienne.

il a donc fallu des points d'ancrage, des références. L'un de ceux-ci – et c'est vrai encore aujourd'hui – est l'odeur de l'assouplisseur de lessive qui imprégnait les vêtements. La fillette s'est aussi faite à l'idée d'avoir son propre pupitre à l'école, ce qui n'allait pas sans adaptation, puisque les écoliers vietnamiens ont l'habitude de se grouper autour d'une table pour apprendre. En somme, Kim Thuy faisait l'expérience de l'individualisme nord-américain.
Peu à peu, les parents de Kim Thuy ont fait des économies et ont pu acheter une maison en banlieue de Montréal, à Dollard-des-Ormeaux. En bonne étudiante nord-américaine, la jeune fille a alors souhaité habiter en appartement avec des amis, permission que ses parents lui ont refusée. Aujourd'hui, Kim Thuy, devenue mère de famille, n'a pas enseigné la langue vietnamienne à ses enfants, et elle constate que leurs copains montréalais sont plus habiles au maniement des baguettes qu'eux-mêmes… Si elle a aimé Granby au point d'en faire sa seconde ville natale, et qu'elle habite désormais à Longueuil, autre ville en banlieue de Montréal, Kim Thuy aime par-dessus tout Montréal, avec ses autobus bondés, son coude-à-coude quotidien, qui offre une lointaine et minuscule ressemblance avec la promiscuité régnant dans une Asie surpeuplée.

Des icônes de tradition roumaine

Avant de quitter la Roumanie, Aura Chiriac et Vladimir Midvichi, alors tous deux dans la vingtaine, rêvaient du Québec comme d'un pays parfait, où il n'y avait pas de criminalité, où l'on trouvait du travail sans problème, où les diplômes étaient reconnus, où la vie était tranquille, les paysages magnifiques, les loyers abordables. Contrée baudelairienne, en somme, où tout n'était « qu'ordre et beauté, luxe, calme et volupté… ».
C'est du moins ce que les deux jeunes gens avaient retenu des séances d'information auxquelles ils avaient assisté en Roumanie, à l'initiative des services d'immigration de la Délégation du Québec, en vue de faire connaître la province à d'éventuels immigrants. À l'époque, se souvient le couple, qui a ouvert depuis une école de peinture spécialisée dans l'art de l'icône, à deux pas de l'oratoire Saint-Joseph, tous les Roumains voulaient quitter le pays, notamment pour des raisons économiques. Et qui peut faire entendre raison aux rêves ? « Il y a des hommes d'affaires, qui étaient bien implantés en Roumanie, qui ont tenté leur chance ici et qui sont retournés en Roumanie parce qu'ils se sont rendu compte qu'ils devaient absolument tout recommencer de zéro », se souviennent-ils, après coup.
Comme bien d'autres immigrants qui finissent par s'y installer, Vladimir Midvichi et Aura Chiriac ignoraient jusqu'à l'existence du Québec avant d'assister à l'une de ces séances d'information. Dans leur pays d'origine, tous deux avaient d'ailleurs adopté plus volontiers l'anglais comme seconde langue que le français, même si leur langue maternelle, le roumain, appartient à la famille des langues latines et présente, pour cette raison, de nombreux traits communs avec le français. Depuis leur arrivée à Montréal en 2006, les jeunes gens ont mis les bouchées doubles, et tous deux s'expriment remarquablement bien en français, voire ont peu à peu perdu leur anglais…
Tout compte fait, et après quatre années de séjour, le couple estime que le Québec qui les a accueillis n'est pas si éloigné de celui qui leur avait été présenté alors qu'ils vivaient en Roumanie. « Les neuf premiers mois ont suffi pour nous montrer où on était arrivés, explique Vladimir Midvichi. Je ne sais pas si c'est juste à Montréal, où dans tout le Québec, mais j'aime la politesse des gens ici. J'aime que les gens attendent l'autobus en faisant la queue par exemple. » Cependant, tous deux se montrent critiques à l'endroit des délais d'attente dans les urgences des hôpitaux, délais qui leur semblent s'être indûment prolongés au cours des dernières années. « Cela ne s'appelle pas urgence, cela s'appelle patience », déplore Aura Chiriac. Cette situation leur semble particulièrement regrettable alors que plusieurs médecins d'origine étrangère qui pratiquaient la médecine dans leur pays d'origine ne voient pas leurs diplômes reconnus au Québec, rappelle Vladimir Midvichi. À titre d'exemple, il mentionne le cas d'un compatriote, médecin réputé en Roumanie et directeur d'hôpital, qui a dû, à Montréal, se contenter d'un boulot de concierge, avant d'en repartir et de trouver à être embauché comme médecin… en France.
Les deux jeunes artistes sont parents depuis peu. Transmettront-ils à leur progéniture l'art très codifié de l'icône, presque une ascèse spirituelle, tant dans sa tradition roumaine que russe ? On peut l'imaginer, comme il est agréable de penser que cet art, vieux de plusieurs siècles, a trouvé à Montréal l'un de ses foyers.

En quête du français

Bien qu'il se plaise à Montréal, Miguel Syjuco, né à Manille en 1976, pourrait bien quitter la ville un de ces jours pour s'installer à Paris, tout simplement parce qu'il n'a pas réalisé à Montréal son rêve d'apprendre le français. C'est pourtant dans cette ville, où il vit depuis trois ans, que Miguel Syjuco a écrit l'essentiel de son premier roman, *Ilustrado* (Hamish Hamilton pour l'édition au Canada), qui lui a valu de recevoir en 2008 l'important Man Asian Literary Prize. La traduction française du roman est prévue en 2011 chez Christian Bourgois. Après plusieurs années à Montréal, donc, Miguel Syjuco ne parle toujours pas français… « Les Québécois défendent beaucoup le fait français mais dès qu'on leur parle un français boiteux, ils préfèrent s'adresser à vous en anglais », constate-t-il, depuis son appartement du Mile-End, l'un des quartiers les plus branchés de Montréal, où se croisent des gens de toutes les cultures.
Malgré ce prix prestigieux et en attendant que paraisse la traduction française de son roman, Miguel Syjuco demeure peu connu des lecteurs québécois francophones. Ce roman, il l'a écrit tout en travaillant comme réviseur pour le compte du seul quotidien anglophone de Montréal *The Gazette.* L'action d'*Ilustrado* se déroule principalement à New York, mais les Philippines, pays d'origine de Miguel Syjuco, y sont donc également très présentes. « J'aurais pu rester aux Philippines et y faire de la politique par exemple », explique Miguel Syjuco, dont le père, Augusto Syjuco, a participé aux dernières élections nationales, dans le camp de la présidente sortante Gloria Macapagal-Arroyo. Dans le roman, le narrateur déçoit d'ailleurs énormément ses

grands-parents en refusant de satisfaire leurs ambitions politiques. Mais les sujets politiques ne laissent pas l'écrivain indifférent. Ainsi, à Montréal, Miguel Syjuco apprécie avant tout la relative homogénéité des classes sociales, très loin du fossé abyssal qui règne entre les riches et les pauvres aux Philippines. « Là-bas, il n'y a pas de régime de santé public universel, il n'y a pas d'aide sociale pour tous », fait-il observer.

De Montréal, il aime aussi l'aspect cosmopolite, en vertu de quoi chaque communauté immigrante préserve jusqu'à un certain point son identité, ce qui offre aux Montréalais la possibilité d'être perpétuellement en voyage, sans bouger. Depuis que Miguel Syjuco a reçu le Man Asian Literary Prize, la communauté philippine de Montréal l'a d'ailleurs invité à quelques reprises à diverses fêtes et rassemblements, comme à la fête de Sinulog, qui a lieu tous les ans en janvier. Mélange de fête religieuse et culturelle, celle-ci est très prisée des Philippins, ceux restés au pays comme ceux de la diaspora.

C'est donc à Montréal que Miguel Syjuco a remporté le pari qu'il avait fait de terminer son premier roman, maintenant bien achevé, puisqu'un deuxième est déjà en marche. Mais pour ce qui est d'apprendre le français, il est encore loin du compte, admet-il, en précisant qu'il a abandonné les cours de français faute de pouvoir pratiquer cette langue à sa satisfaction… Pour autant, Miguel Syjuco ne renonce pas facilement à ses rêves, et pas davantage à celui d'apprendre le français. Quitte à ce que ce rêve l'entraîne à l'est, plus près d'un monument appelé tour Eiffel que du mont Royal…

Caroline Montpetit

p. 91 : La Saint-Jean.

p. 93 : Vélo devant un dépanneur.

TROUVÉ À MONTRÉAL

L'autre jour, je me suis trompé de bus. J'attendais le 94 au coin de Sherbrooke et d'Iberville, il faisait beau, je lisais. Le bus s'est arrêté, le conducteur m'a salué (ici, les conducteurs saluent tout le monde et tout le monde les salue), je me suis installé et je me suis remis à lire. Au bout de quelques minutes, j'ai compris que j'avais pris le 29. Ça m'a fait sourire, mais ça ne m'a pas embêté plus que ça. Je suis descendu au coin de Rachel et Saint-Denis et j'ai marché jusqu'à Mont-Royal pour prendre le métro. On était le 26 octobre, mais il faisait doux comme un jour de printemps.

J'ai passé mon enfance dans une petite ville française (Pithiviers), fait mes études dans une ville moyenne (Tours), vécu quelques années à la campagne puis passé les vingt années suivantes dans une autre ville moyenne (Le Mans). Avant de m'installer à Montréal, je n'avais jamais vécu dans une métropole. Quand j'allais à Paris, j'y prenais toujours le métro mais jamais le bus, dont je n'arrivais pas à mémoriser les itinéraires. Montréal est une ville immense, même quand on vit dans l'île et, pour aller de mon domicile (au bord est du Plateau), jusqu'à mon bureau à l'université de Montréal (de l'autre côté de la montagne), il faut trente-cinq à quarante minutes de bus et métro. Mais le matin, quand j'entends à la radio l'état de la circulation sur la 13, l'échangeur Décarie et le pont Jacques-Cartier, je suis heureux de ne pas avoir de voiture. Depuis que nous vivons à Montréal, ma famille et moi, nous n'en avons plus. Il nous arrive d'en louer une (ou d'emprunter celle d'un ami) pour aller nous balader hors de la ville mais, la plupart du temps, nous n'en avons pas besoin : la STM vient d'être nommée meilleure entreprise de transports urbains d'Amérique du Nord (elle est aussi la moins chère et la plus écologique) et les frais de transports sont déductibles d'impôt. Aux beaux jours, beaucoup de Montréalais se déplacent à vélo car les pistes cyclables abondent. Et si l'on est vraiment pressé, faire venir un taxi devant sa porte demande trois minutes, montre en main. Ici, il y a des taxis partout.

*

À Montréal, je me sens chez moi. Depuis la première fois. C'était en 1999. Je venais, en compagnie d'autres écrivains POL, participer à un salon du livre. Le lendemain de notre arrivée, je me suis baladé dans les rues. Je ne comprends rien aux églises, à

l'architecture, aux mystères des villes. Mais ce premier matin à Montréal, le visage des gens, le ton de leurs conversations, les « Bienvenue » qui répondaient à mes « Merci » – et même les trous dans les chaussées défoncées par les gels successifs – m'ont fait tant de bien que, rentré à l'hôtel, j'ai appelé MPJ – ma compagne – pour lui dire : « Si un jour on quitte Le Mans, j'aimerais venir vivre à Montréal. » Elle a répondu en riant : « J'aime le froid et la neige, alors ça me va très bien. » Comme moi, elle avait déjà envie de changer d'air.

*

J'entends certains penser : « Ah, voilà ! C'est toujours la même chose. Il a émigré au Québec pour la neige et les grands espaces, les caribous, le drôle-de-parler et la culture française. » Ils ont tout faux. D'abord, j'ai horreur de la campagne, je suis un citadin, je *déteste* la neige, et je n'ai pas choisi « le Québec », que je connais mal (c'est très grand, le Québec) : j'ai choisi *Montréal*. Tout ce que je dis ici concerne donc Montréal, exclusivement, et ne saurait en aucun cas être généralisé au Québec ou au Canada tout entier. Et donc, on ne croise pas de caribous sur l'île de Montréal – ni quand on la quitte par l'autoroute des Laurentides, d'ailleurs. Ensuite, *et rentrez-vous bien ça dans la tête,* les Québécois ne parlent pas un « drôle-de-français » ; ils parlent une langue vivante , tandis que les Français sont assignés par leurs pseudo-élites à parler une langue momifiée. Et ne vous avisez pas de dire aux Québécois qu'ils sont « de culture française ». Ils ne le sont pas. Ils parlent le français, mais ils se sentent absolument nord-américains. Quant aux véritables raisons de mon installation à Montréal... Vous avez un peu de temps devant vous ?

*

Le français est ma langue maternelle mais, dès l'âge de 11 ans, j'ai lu de la littérature anglo-saxonne, je suis allé voir des films en VO, j'ai parlé l'anglais dans les rues de Londres et appris le *slang* [argot anglo-américain, *Ndlr*] dans les *comic books*. Je me suis tourné vers l'anglais par tropisme, comme on le dit d'une plante qui s'incline vers le soleil, et mon année aux États-Unis a solidifié cette inclination. De sorte que j'ai toujours eu le sentiment de cultiver deux champs de pensée : historique, émotionnelle et familiale de mon côté français ; intellectuelle, artistique et scientifique de mon côté anglais.

J'ai toujours été fasciné par l'Amérique du Nord. Adolescent, j'aurais voulu être un écrivain américain ; mais je suis né dans une colonie de la République (cherchez l'erreur) et, quand j'étais adolescent, « devenir écrivain » n'était pas un projet sérieux aux yeux de l'Éducation nationale. En 1972, à l'âge de 17 ans, j'ai passé une année dans une famille et une *high school* du Minnesota. Ce séjour a changé ma vie et mes perspectives. Aux États-Unis, personne ne trouvait extravagant que j'envisage de devenir médecin *et* écrivain. Personne ne trouvait scandaleux que je veuille écrire sur vingt sujets différents. Personne ne me jugeait à ma mine – ou sur mes intentions. « Un jour, me disait-on, tu seras ce que tu voudras devenir. »

*

Pendant les vingt-cinq ans qui ont suivi, j'ai appris puis exercé la médecine *et* je suis devenu écrivain. À partir de 1998, par la grâce d'un best-seller traduit en quinze langues, mon horizon s'est élargi. J'ai eu envie de me remettre à étudier et, simultanément, de transmettre ce que je savais – en particulier aux étudiants en médecine. Mais, malgré l'écho public que pouvait rencontrer ma double expérience et, en dehors de quelques conférences à droite et à gauche, et des cours occasionnels dans une fac parisienne qui s'est empressée de me remercier dès que j'ai critiqué l'attitude archaïque des enseignants envers les étudiants, je n'ai pas pu enseigner. Je « n'avais pas les diplômes » – ou les relations ; ou les deux... La France est un pays où, malgré la disparition supposée de l'Ancien Régime, l'expérience n'est rien quand on n'a ni statut ni titres. Il ne s'agit plus de titres nobiliaires, mais universitaires ; pour autant, l'état d'esprit – et les critères de classe – qu'ils avalisent n'ont pas changé depuis Napoléon.

*

Pendant la même période, j'ai été beaucoup invité à Montréal – *parce que* j'avais une expérience originale et multiple : médecin, écrivain, critique, vulgarisateur, traducteur. Je n'avais pas besoin de titres ; le contenu de mes livres suffisait. Avant de venir à Montréal, je ne savais pas que mes romans parlaient d'éthique du soin. Personne, en France, ne prononçait ces mots en public, encore moins au sujet d'un roman ou d'un écrivain, fût-il médecin. En Amérique du Nord, en Angleterre, tous les grands centres de soins sont supervisés par un comité d'éthique. Et les soignants qui écrivent sont respectés par les professionnels de santé, conviés un peu partout à donner des conférences ou à participer activement et durablement à l'enseignement, et leurs livres conseillés en lecture aux étudiants et aux internes,

Je me rendais à Montréal gratifié, j'en revenais frustré de repartir vers un univers cloisonné et pour me consoler je me chargeais de livres d'anthropologie, de bioéthique, de critique littéraire, d'histoire de la médecine dont je ne trouvais pas les équivalents dans les librairies françaises. Et plusieurs de mes hôtes – et tout

Rentrez-vous bien ça dans la tête, les Québécois ne parlent pas un « drôle-de-français » ; ils parlent une langue vivante, tandis que les Français sont assignés par leurs pseudo-élites à parler une langue momifiée.

particulièrement Andrée Duplantie, bioéthicienne de renom – m'affirmaient que je pourrais m'épanouir ici et m'ont encouragé à tenter ma chance.
Pendant l'été 2005, MPJ, nos quatre plus jeunes garçons et moi sommes venus ensemble passer trois semaines à Montréal ; je leur ai présenté Andrée, sa sœur Monique, son *chum* Yves, leurs amis ; à la fin du séjour, MPJ pleurait de devoir repartir. En 2008, après trois ans de tribulations malheureuses, j'ai postulé à, et obtenu, une bourse du CRÉUM – le Centre de recherches en éthique de l'université de Montréal. Pour un projet de recherches sur la transmission des valeurs éthiques en médecine. Je n'avais ni titres universitaires ni expérience de chercheur, mais mon projet a été retenu.

*

Je suis parti à Montréal seul, en février 2009. J'ai eu droit à quelques tempêtes de neige, mais l'hiver m'a paru court. J'ai vécu quatre mois avec un de nos fils aînés dans un deux-pièces qu'un étudiant m'avait sous-loué. Lorsque le propriétaire est venu me faire signer le bail, apprenant que j'étais médecin et que j'immigrais, il m'a demandé si j'exercerais la médecine ici. Je n'en savais encore rien. Quelques jours plus tard, j'ai trouvé sous ma porte une enveloppe contenant un article sur les accords Québec-France en matière d'équivalence de diplôme.
Au CRÉUM, j'ai été accueilli comme un égal et j'ai été immédiatement convié et intégré aux activités des professeurs, chercheurs et étudiants en doctorat. Et je ne bénéficiais pas d'un traitement de faveur, mais de l'attitude à laquelle tout le monde a droit. Ainsi, au département de philosophie, dont le CRÉUM dépend, on considère les étudiants comme de futurs collègues. Si bien que parmi celles et ceux qui sont venus de France préparer une maîtrise ou une thèse en cotutelle, un très grand nombre choisit de ne pas repartir. On me dira : « Tu es tombé dans un département exceptionnel. » C'est vrai, mais j'ai croisé des membres d'autres départements et d'autres universités du Canada ; l'esprit de coopération, de respect et d'entraide y est le même.
En juillet, quand je suis allé, avec trois de mes garçons et leurs sacs à dos, acheter de la vaisselle et des ustensiles dans un Dollarama de l'avenue Mont-Royal, les boutiquiers nous ont gratifiés d'encouragements et de conseils pratiques avec la même chaleur que si j'avais été un de leurs cousins fraîchement arrivés.

*

Professionnellement parlant, je n'étais pas malheureux, en France. Les patients qui se sont confiés à moi et les lecteurs qui ont lu et lisent encore mes livres ont plus que valorisé mes attitudes de soignant et d'écrivain. Mais en tant que citoyen désireux d'apporter ma contribution aux institutions (et en particulier à l'université), je me suis toujours senti... comment dire ? – *déplacé*. Parce que j'avais un nom judéo-hispano-arabe [Zaffran], parce que j'écrivais, parce que j'aimais la littérature anglo-saxonne plus que la littérature française, parce que j'étais ouvertement du côté des patients plutôt que du côté de mes confrères, parce que je préférais vivre en province plutôt qu'à Paris, parce que j'étais à la fois médecin et écrivain sans avoir l'air de vouloir choisir mon camp.
J'ai fini par voir la France comme une pyramide de sphères ; chacun doit frayer dans la sphère à laquelle on l'a assigné ; il est très mal vu de la quitter pour une sphère du même niveau et inconcevable de vouloir « descendre plus bas ». Envisager de passer dans une sphère supérieure est considéré comme de la vanité et de l'arrivisme. Être *appelé* (par concours ou par cooptation) à monter dans une des hautes sphères est considéré comme un honneur de la part de ceux qui vous y invitent, non comme un accomplissement lié à vos mérites. Et tout cela repose sur des règles protocolaires implicites, que seuls les initiés connaissent. Dans cette configuration, le vouvoiement, en France, signifie clairement : « Nous ne faisons pas partie de la même sphère. » À Montréal, tout le monde dit « tu » au bout de deux phrases. Le vouvoiement est perçu comme une barrière que celui qui l'emploie dresse autour de lui. Le tutoiement, en revanche, est inclusif. Il signifie : si je t'adresse la parole, et si tu me réponds, c'est parce que nous sommes égaux. De ce tutoiement et de la facilité à échanger avec tout un chacun naît très vite le sentiment merveilleux qu'à Montréal (et je me risquerai à dire « au Canada », pour l'avoir ressenti ailleurs dans le pays) la hiérarchie sociale est infiniment moins pesante, moins marquée qu'en France. Il y a sans doute des sphères à Montréal, mais si tel est le cas, elles sont éparpillées au milieu d'un espace social où le plus grand nombre se rencontre et échange librement. Et nul n'est obligé de passer par une sphère pour aller d'un point à un autre.

*

Auparavant, tous mes romans se déroulaient dans une ville française imaginaire, Tourmens. Le dernier en date se passe à Montréal ; je suis si heureux d'y vivre que j'ai voulu y faire vivre aussi mes personnages. Si tout va bien, ce sera le premier d'une série qui explore l'histoire et les quartiers de la ville qui m'a accueilli et où je me suis trouvé.

Quelques jours après son arrivée, MPJ s'est vu proposer un travail qui lui va comme un gant (et pour lequel on compte sur sa personnalité et son investissement et non sur ses diplômes). Depuis notre arrivée et leur intégration dans des écoles publiques, les jumeaux (17 ans) s'épanouissent en maturité et en créativité. Quant au plus jeune (12 ans), depuis qu'il est entré en secondaire, il s'est mis à la clarinette. Pour un gamin qui passe sa vie devant un ordinateur, je trouve qu'il progresse sacrément vite. Il faut dire que dans son école (publique, elle aussi), tout le monde fait de la musique dans la joie et la bonne humeur. À mille lieues de l'atmosphère élitiste et *marche ou crève* de l'Éducation nationale.

*

Hier soir, 30 octobre, il a neigé. C'était la première neige, elle n'a pas tenu. Il y en aura d'autres, beaucoup, puis moins, jusqu'en avril. Pour le moment, je ne trouve pas que les hivers soient longs. Et, de toute manière, longs ou pas, ici l'hiver n'empêche pas de vivre et de travailler. Car à Montréal, je peux penser, créer et partager librement : même avec un mètre de neige, l'espace *mental* est plus vaste.

Depuis vingt mois, mon horizon professionnel s'est beaucoup élargi. J'ai assuré un trimestre d'enseignement en éthique clinique, fait deux douzaines de conférences et présentations à des étudiants ou à des praticiens dans plusieurs universités et été invité à parler à une dizaine de colloques, au Canada, aux États-Unis et en Angleterre. Au début de l'année 2011, il est question que j'assure un enseignement universitaire de création littéraire. Dans une quinzaine de jours, je coanime une présentation patronnée par l'UQÀM (université de Québec à Montréal) et l'UNEQ (Union des écrivains québécois) alliant littérature et science : avec la complicité d'un physicien, Stéphane Durand, je vais essayer de tracer en public les grandes lignes d'un futur roman, sur le thème du voyage dans le temps.

Je n'ai pas pu devenir un écrivain américain, mais – *close enough !* – je vis en Amérique du Nord et, depuis mon arrivée, j'ai déjà écrit trois douzaines d'articles – dont un tiers en anglais – et deux romans. Auparavant, tous mes romans se déroulaient dans une ville française imaginaire, Tourmens. Le dernier en date (*Les Invisibles*) se passe à Montréal ; je suis si heureux d'y vivre que j'ai voulu y faire vivre aussi mes personnages. Si tout va bien, ce sera le premier d'une série qui explore l'histoire et les quartiers de la ville qui m'a accueilli et où je me suis *trouvé*.

Je lui dois bien ça.

Marc Zaffran, alias Martin Winckler

Comme les chaussettes, les villes, allez savoir pourquoi, vont souvent par paires. Nul besoin, cependant, de remonter jusqu'à la rivalité entre Athènes et Sparte pour comprendre que ces couples-là se détestent presque toujours cordialement, férocement, passionnément, à grands renforts de lieux communs. Montréal et Québec n'échappent pas à la règle.

MONTRÉAL

V

En avril 2010, un feuilleton des plus divertissants a tenu l'affiche pendant quelques semaines, faisant s'écrouler de rire les Montréalais, et, avec eux, tout le Québec. Estimant que trop de gens s'entêtaient à appeler Québec « la vieille capitale », son maire, Régis Labeaume, a mandaté un certain consultant en marketing dénommé Clotaire Rapaille pour décoder l'« archétype culturel » de la ville, selon la terminologie fumeuse dudit consultant, et la doter d'une image de marque conforme à sa nature profonde. Montant du contrat : 300 000 dollars. Après quelques séances de psychanalyse sauvage dont les médias, à bon droit, ont fait leurs choux gras, le personnage, d'origine française, a repris l'avion pour les États-Unis, où il habiterait toujours aux dernières nouvelles.

Nul n'est à l'abri des beaux parleurs, mais disons que l'erreur de jugement du maire de Québec a conforté plus d'un Montréalais dans sa perception de Québec comme d'une ville désespérément en quête de reconnaissance, travers évidemment étranger à Montréal, diront les Montréalais, tout en gardant un œil sur Toronto…

La rivalité entre Montréal et Québec est aussi ancienne que les premiers peuplements en Nouvelle-France et se nourrit de clichés réciproques, soigneusement entretenus. Ainsi la beauté de Québec ne fait pas de doute, qu'elle se laisse admirer dans les quartiers bourgeois de Sillery et de Sainte-Foy comme dans son cœur historique, classé patrimoine mondial par l'Unesco en 1985. Mais ce sont là, estime-t-on à l'autre extrémité de l'autoroute 20, des grâces de provinciale endormie, propre sur elle, vivant sous le regard d'autrui dans un bourg de 491 140 habitants (source : Statistique Canada, recensement de 2006), où tout le monde se connaît, est blanc, parle français et a un beau-frère au gouvernement. Rien de tel à Montréal, qui est tout sauf homogène. Ce n'est pas le seul contraste entre les deux villes. Pour accéder au cœur de Québec, l'automobiliste emprunte la spectaculaire promenade Samuel-de-Champlain, encastrée entre la falaise et le fleuve, tandis que Montréal l'industrieuse, près du même fleuve, aligne ses hangars, ses raffineries, son port à moitié revampé, ses cargos amarrés aux quais, ses ruelles coupe-gorge. Montréal la gueuse demeure l'éternelle Babylone, bigarrée, gagnée par l'anglais et Dieu sait quels autres sabirs venus d'ailleurs, une métropole où perdre avec joie son âme, tandis que Québec est tout à la fois la quintessence et la dépositaire de l'identité québécoise. Et ne parlons pas de hockey : inconsolable Québec qui n'a plus son équipe dans la ligue nationale, quand celle des Canadiens de Montréal n'y brille pas

S QUÉBEC

toujours. Québec qui rêve d'un amphithéâtre offert aux foules de supporters, tout en se singularisant de bien triste façon avec ses radios-poubelle au populisme nauséabond et bien portant. Mais entendez les cris d'orfraie qui montent de la rue Cartier. Nous avons, nous, le metteur en scène Robert Lepage, celui-là même dont on s'arrache les créations audacieuses un peu partout dans le monde. Nous avons le musée national des Beaux-Arts, les plaines d'Abraham, le musée de la Civilisation, modèle de muséologie participative ; l'histoire est un livre ouvert dans nos rues ; en littérature, l'école de Québec remonte au XIXe siècle et sa vitalité ne se dément pas avec des éditeurs, des librairies, des événements littéraires comme le tout récent festival automnal Québec en toutes lettres, créé à l'initiative de l'Institut canadien de Québec, en partenariat avec la mairie de Paris et le festival du même nom qui s'y déroule ; nous avons le Grand Théâtre de Québec, des lieux de spectacle et des bars célèbres, des tables réputées. D'ailleurs, c'est Québec qui jouit du statut de capitale nationale du Québec, non Montréal, un temps capitale au XIXe siècle, mais c'était celle du Canada. Enfin, tous ces hauts fonctionnaires, ces hommes et ces femmes politiques qui évoluent dans les sphères du pouvoir et s'encanaillent, après six heures, aux terrasses de la Grande-Allée, croyez-vous vraiment qu'ils s'ennuient dans notre belle ville ?

Ne répondons pas : les cris redoubleraient. Interrogeons-nous plutôt sur la fatalité administrative qui plombe, un peu partout dans le monde, les capitales choisies par l'arbitraire politique plutôt que suivant leur statut économique ou culturel. Leurs monuments et leurs musées auront beau faire, que pèsent Washington, Canberra, Brasília, Bonn ou Ottawa aux côtés de New York, Sydney ou Melbourne, Rio, Berlin, Montréal ou Toronto ? Il entre dans la bonne fortune des capitales administratives quelque chose de trop planifié qui donne envie aux métropoles dédaignées par le pouvoir politique d'afficher leur insolente *movida,* comme une revanche de la vie sur les calculs de boutiquiers de la raison d'État.

Bien sûr, d'autres schémas que ceux administratifs peuvent présider aux rivalités entre villes, constante, on dirait bien, dans l'histoire des peuplements humains. C'est Tel Aviv, moderne, vibrante, à l'amnésie joyeuse, contre Jérusalem au lourd passé, aux religions omniprésentes. C'est Paris la hautaine, Marseille la rétive, le PSG et l'OM qui se disputent le ballon et les cœurs. C'est Florence et Sienne à la Renaissance. Carthage et Rome. On n'en sort pas.

Marie-Andrée Lamontagne

CHAP

TRE 4

PRÉSENT
ET FUTUR
CONJUGUÉS

LE MONDE DEPUIS MONTRÉAL

Plusieurs artistes montréalais mènent une carrière internationale, tout en demeurant ancrés dans leur ville. Le cœur à Montréal, le corps et l'esprit en cavale sur le reste de la planète, quelques-uns de ces funambules, attrapés entre deux avions, évoquent tour à tour les couleurs singulières et contrastées qu'ils prêtent à leur ville. Le romancier Dany Laferrière, la soprano Karina Gauvin, le metteur en scène Denis Marleau, le chef d'orchestre Yannick Nézet-Séguin, l'artiste David Altmejd : à travers leurs portraits, Montréal, vue de loin et pourtant de si près.

Lorsqu'il arrive à Montréal pour la première fois, en 1976, Dany Laferrière n'y connaît à peu près personne. S'il est là, c'est pour fuir Haïti, où la dictature duvaliériste met sa vie en danger. Une amie montréalaise lui paie le billet d'avion et l'invite à s'y installer. « Il n'est pas rare de rencontrer des gens comme ça à Montréal, sensibles à une situation difficile », constate trente-quatre ans plus tard l'écrivain, devenu une figure de proue de la scène littéraire tant à Montréal qu'en France, où il recevait, en 2009, le prix Médicis pour *L'Énigme du retour* (publié chez Boréal à Montréal, chez Grasset à Paris), roman témoignant de son double attachement à Port-au-Prince et à Montréal.
Enchaînant les petits boulots, l'aspirant écrivain découvre différents quartiers de la ville, tout en fréquentant les théâtres. Il déménage souvent. « Je n'ai jamais habité dans les quartiers haïtiens, je n'ai jamais vécu l'expérience communautaire des exilés haïtiens. J'ai toujours été seul. » Pour Dany Laferrière, l'expérience de la ville en solitaire est précisément ce qui fait son charme.
À Montréal, Dany Laferrière a longtemps craint le froid, qui s'annonce chaque année dès novembre. « L'idée que j'aurais à traverser ce long tunnel de glace était la plus horrible qui soit », se souvient-il. Dès les premiers rougeoiements de septembre, il se sentait angoissé et déprimé. En fait, c'est à Miami, où il s'est exilé pendant quelques années pour écrire, qu'il a commencé à apprivoiser l'hiver. « À un moment donné, je ne pouvais plus supporter cette chaleur, et alors me revenait le goût du froid », se souvient-il.
Avec le temps, Montréal a laissé son empreinte sur Dany Laferrière. Il a appris à l'aimer, il s'y est fondu comme dans un endroit longtemps fréquenté. Il apprécie son rythme, plus langoureux que celui de beaucoup de villes nord-américaines, la fluidité de ses rapports humains. « Cela prend du temps avant que les choses vous pénètrent », constate celui dont le premier roman, *Comment faire l'amour avec un nègre sans se fatiguer* (VLB Éditeur, 1985 ; Le Serpent à plumes, coll. « Motifs », 1999), fait maintenant partie de la mythologie montréalaise.

Un havre de paix

Si Dany Laferrière s'est plu à découvrir la ville en solitaire, Karina Gauvin y revient comme à une source. Dans son jardin, à l'arrière de chez elle, à Notre-Dame-de-Grâce, la soprano de réputation internationale a planté un massif d'hydrangées. L'été, des chardonnerets viennent y picorer des graines. C'est un havre que la chanteuse, qui voyage dans le monde six mois par an, a elle-même dessiné et qu'elle entretient. Au moment de notre rencontre, celle-ci rentre d'ailleurs d'un périple qui l'a menée en Allemagne, en France, en Italie, en Espagne et en Suisse. Karina Gauvin a un agent à Paris, spécialisé dans la musique baroque, et un autre à New York. Montréal est le lieu où elle se pose. Elle y est d'ailleurs née, puis a grandi à Toronto, où la famille s'installe à la fin des années 1970 tout en veillant à préserver, au sein du foyer, l'usage de la langue française. « Maman vient de l'est de Montréal, explique la soprano. Son univers est celui des livres de Michel Tremblay. » C'est à Toronto que Karina Gauvin découvre la musique, mais c'est à Montréal que, devenue adulte, elle choisit de revenir vivre à la fin des années 1980. « J'avais envie de vivre en français », reconnaît-elle le plus simplement du monde.

Karina Gauvin vit maintenant à l'heure internationale, et si Montréal demeure son point d'ancrage, cette ville est aussi – comment l'oublier ? – là où pour elle tout a commencé. À son retour à Montréal depuis Toronto, alors qu'elle est étudiante en histoire de l'art à l'université McGill, la jeune fille passe une audition en vue d'intégrer le chœur de l'université. Elle choisit une œuvre de Purcell, et est retenue comme soliste, alors qu'elle n'est même pas inscrite à la faculté de musique ! L'événement suscite des vagues à la faculté, mais a aussi pour effet de révéler une vocation. Karina Gauvin s'inscrit alors au Conservatoire de musique de Montréal, après quoi elle reçoit le premier prix du Guelph Spring Festival et une bourse pour aller étudier à la Royal Scottish Academy de Glasgow, en Écosse. Les engagements se succèdent. Karina Gauvin chante avec les orchestres symphoniques de Montréal, Québec, Toronto, Los Angeles, elle chante avec l'Akademie für Alte Musik Berlin, le Minnesota Orchestra, le Tafelmusik Baroque Orchestra, l'Accademia Bizantina, entre autres ensembles... La soprano travaille beaucoup, mais c'est à Montréal qu'elle prend le temps de vivre. « J'habite dans un quartier où il y a beaucoup d'arbres », dit-elle, en ajoutant qu'elle apprécie la ville pour la qualité de vie qu'elle y trouve, pour la proximité avec les gens qu'elle aime. « On ne peut pas vivre seulement pour le travail. » Et pour chanter, pour offrir le meilleur de soi au public, « il faut être heureux », conclut-elle.
L'Europe demeure cependant un pôle de travail privilégié pour Karina Gauvin, qui a repris, récemment, certains arias des opéras de Nicola Porpora, dont plusieurs n'avaient jamais été enregistrés auparavant (*Porpora Arias,* Atma Classique). L'enregistrement aura nécessité des recherches musicologiques importantes, impossibles à mener de ce côté-ci de l'Atlantique. Karina Gauvin n'exclut pas la possibilité d'avoir un jour un pied-à-terre à Paris. Mais à Montréal l'attendront toujours, patients et loyaux, ses amis, sa famille, son massif d'hydrangées, et la blancheur bleutée des grands froids d'hiver.

Comment, au Québec, assurer à l'art plus exigeant la place qui lui revient, semblable à celle qu'il se voit attribuer dans les sociétés européennes de tradition plus ancienne ?

Un chantier permanent

Bruits des voitures, passants affairés, tours de verre, marteaux-piqueurs, grues, façades en pierre grise aux corniches sculptées où délibèrent les pigeons : la rue Sainte-Catherine, au centre-ville, offre un spectacle renouvelé. En outre, depuis les bureaux de la compagnie de théâtre Ubu, le metteur en scène Denis Marleau jouit d'une vue splendide sur la chapelle Saint-James, dont la façade néogothique, restaurée en 2005, est demeurée cachée pendant soixante-dix-huit ans à la vue du public par des magasins et des bureaux, jusqu'à faire oublier son existence. C'est ainsi que Denis Marleau voit Montréal : une ville en chantier, « trouée », où citoyens et élus passent leur temps à se demander ce qu'il faut faire de tel espace en friche, de tel bâtiment abandonné, de telle aire de stationnement. Une ville de possibilités où tant reste encore à faire.
Né à Valleyfield, petite ville située à 70 kilomètres de Montréal, Denis Marleau s'inscrit au Conservatoire de théâtre de Montréal, après quoi, son diplôme en poche, il fait un séjour de deux ans en Europe, où il va à la grande école du spectateur. « C'est là que j'ai découvert le théâtre d'art à proprement parler, la mise en scène européenne dans sa diversité, chez les Italiens, les Polonais, les Russes, les Allemands », se souvient-il. À Paris, il rencontre l'artiste peintre québécoise Marcelle Ferron, qui l'introduit auprès du musée d'Art contemporain de Montréal, où, en 1982, il signe la mise en scène du *Cœur à gaz,* de Tristan Tzara. C'est le coup d'envoi de sa compagnie, le Théâtre Ubu. Avec *Merz Opéra,* de l'Allemand Kurt Schwitters, celle-ci commence à tourner en Europe, sous le parrainage du Goethe-Institute. Depuis, elle alterne les productions à Montréal et à l'étranger. Ainsi, à l'automne 2010, Ubu présentait *Jackie,* texte d'Elfriede Jelinek, à l'Espace Go de Montréal, boulevard Saint-Laurent, l'un des lieux de théâtre parmi les plus stimulants en ville. Le public, conquis, y faisait une fois de plus l'expérience des mises en scène de Marleau alliant technologie de pointe et souci du texte. Au printemps 2011, Marleau met en scène une pièce de Sénèque, *Agamemnon,* à la salle Richelieu de la Comédie-Française. Fidèle à son habitude, il s'entoure d'une équipe de créateurs québécois, dont Michel Goulet aux décors, Stéphanie Marin à la vidéo, Nancy Tobin et Nicolas Bernier au son et à la musique.
Quand il n'est pas en tournée européenne, Denis Marleau a cependant besoin de vivre au Québec, même si sa compagnie de théâtre ne tourne guère hors de Montréal, dès lors que ses mises en scène font appel à un dispositif technique élaboré. Celui qui a souvent eu les honneurs du Festival d'Avignon, avec des pièces de Lessing, de Thomas Bernhard ou de Normand Chaurette, rappelle que l'Europe dispose d'un réseau étendu de salles, même dans les petites villes. Voilà qui lui fait envie. À titre comparatif, la pièce *Les Aveugles,* de Maeterlinck, dans la mise en scène de Marleau, a été jouée 700 fois un peu partout dans le monde, notamment à Avignon en 2002, alors qu'à Montréal, tout en faisant salle comble, au musée d'Art contemporain, elle n'aura été vue que par environ 1 500 personnes. « En Europe, il y a une économie de la culture qui n'a rien à voir avec celle d'ici, observe le metteur en scène. Ici, c'est un grand territoire, et c'est le désert hors des centres. » Pour ceux qui habitent dans les régions, il est vrai, Montréal et Québec apparaissent comme

des eldorados de la culture, même si dans ces villes non plus la partie n'est pas gagnée pour les artistes. Comment, au Québec, assurer à l'art plus exigeant la place qui lui revient, semblable à celle qu'il se voit attribuer dans les sociétés européennes de tradition plus ancienne ? « C'est une question de volonté politique, de vouloir faire la promotion de la création et non pas de la culture du divertissement », affirme le metteur en scène. Entre les créateurs, le public et les institutions, le contexte québécois crée une tension sur le plan culturel qui est précisément la raison pour laquelle Denis Marleau aime vivre à Montréal. Sans doute est-ce sa façon de combler les « trous » de cette ville, d'occuper ses espaces en friche, d'y bâtir un monde.

La ville aux chats

Sur le répondeur téléphonique de l'Orchestre métropolitain de Montréal (OM), c'est la voix chaleureuse de son chef d'orchestre et directeur artistique, Yannick Nézet-Séguin, qui vous souhaite la bienvenue. À 35 ans, celui-ci est l'un des chefs parmi les plus demandés sur la scène internationale. Tout en assumant la direction de l'Orchestre métropolitain de Montréal depuis 2000, il vit à l'étranger pendant plusieurs mois, soit en tant que directeur artistique (depuis 2008, de l'Orchestre philharmonique de Rotterdam et, à partir de 2012, de l'Orchestre symphonique de Philadelphie), soit en tant que chef invité, par exemple à l'Orchestre symphonique de Londres ou au Metropolitan Opera à New York. Cependant, le jeune chef reste profondément attaché à l'Orchestre métropolitain de Montréal, de même qu'à cette ville, où il est né et garde toujours deux chats et un appartement.

« J'ai soufflé mes 25 bougies lors du lancement de ma première saison à l'OM. C'est sûr que je resterai toujours reconnaissant à l'Orchestre métropolitain de m'avoir permis de faire mes premières armes dans ma propre ville », explique-t-il, attrapé au vol d'une tournée européenne. Mais ce n'est pas uniquement la reconnaissance et la nostalgie qui expliquent les liens étroits conservés avec l'orchestre. « Il y a la qualité de la musique, la passion, l'osmose qui s'est créée avec les musiciens. Durant nos dix ans de vie commune, notre son a évolué de même que notre façon de travailler ensemble. Le résultat suscite l'intérêt des mélomanes et de la critique internationale. Je suis fier de mon orchestre montréalais. »

Montréal est la ville natale de Yannick Nézet-Séguin. Le jeune homme y revient souvent, ne serait-ce que pour deux ou trois jours, ce qui fait, bien sûr, immensément plaisir à ses chats, qui, « eux, sont montréalais pure laine, ou pur poil ! Mon condo à Montréal, ajoute-t-il [faisant allusion à l'appartement acheté en copropriété, en *condominium* comme on dit en anglais, *Ndlr*], c'est beaucoup plus qu'un pied-à-terre : c'est mon chez-moi. Montréal est une ville que j'aime, qui bouge, où les cultures se rencontrent, où le respect prédomine. Une chaleur se dégage des Montréalais », ajoute le globe-trotter, qui avoue s'ennuyer de Montréal lorsqu'il est à l'étranger.

La solitude nordique

Montréal bouge, certes, mais en hiver, la ville a des grâces nordiques qui ne sont pas sans exercer un charme puissant sur certaines sensibilités. David Altmejd fait partie de la génération montante des créateurs en arts visuels. Pour celui qui vit depuis peu à New York, Montréal est d'abord associé au souvenir mordant de l'hiver. « J'ai grandi dans le quartier Snowdon. Les souvenirs qui me reviennent le plus fréquemment sont marcher avec mon chien, dans Westmount, à moins 20 degrés, quand j'avais 15 ans ; marcher seul l'hiver au centre-ville. Les souvenirs qui combinent solitude et froid extrême sont les plus clairs et les plus vifs pour moi. » Ces moments, affirme-t-il, ont été absolument déterminants pour son art. « Je ne serais pas la même personne si je n'avais pas vécu ces moments de solitude en hiver. C'est comme si quelque chose m'était arrivé en janvier 1989 au Summit Circle [parc boisé situé dans le quartier Westmount, *Ndlr*]. Comme une espèce de prise de conscience de ma place dans l'univers. Aujourd'hui, je suis sûr que toute mon identité s'est construite à ce moment-là et à cet endroit-là. »

Il n'empêche qu'il lui est difficile de créer à Montréal, où Altmejd a l'impression de travailler, dit-il, « à la maison. Pour pouvoir être concentré, il faut que je sois détaché du contexte sur le plan émotif. » Au départ, le jeune artiste affirme avoir choisi New York, « uniquement pour tester son art. Pour le jeter dans l'arène et le voir se débattre. » Reviendra-t-il s'établir à Montréal ? La réponse est sans équivoque : « Oui. J'y pense tous les jours. » Parions qu'il n'est pas le seul.

Caroline Montpetit

p. 105 : L'artiste David Altmejd, travaillant à l'œuvre *The Index* (2007).

p. 107, gauche : La soprano Karina Gauvin.

p. 107, droite, haut : Le metteur en scène de théâtre Denis Marleau.

p. 107, droite, bas : L'écrivain Dany Laferrière.

LEONARD COHEN

Il y a longtemps que je t'aime

Le plus célèbre fils du pays, le chanteur Leonard Cohen, entretient avec Montréal une histoire d'amour réciproque. Près du square du Portugal, où il a longtemps vécu et revient encore, sa présence agit comme une ombre tutélaire sur la ville – *« Hallelujah ! »*

« Il y a longtemps que je t'aime, jamais je ne t'oublierai. » C'est par ces mots de la chanson folklorique bien connue « À la claire fontaine », souvent entonnée par les Québécois comme une sorte d'hymne national venu tout droit de la Nouvelle-France, que le chanteur et poète montréalais Leonard Cohen a salué le public montréalais en juin 2008, lors d'un spectacle donné dans sa ville natale. Après avoir vécu un peu partout, connu une gloire souvent comparée à celle de Bob Dylan, Leonard Cohen songe à s'établir de nouveau à Montréal de façon permanente. C'est du moins ce qu'affirme son fils, Adam Cohen, mis à contribution pour écrire ce portrait, en l'absence de son père en tournée à l'étranger.

En réalité, Montréal est une ville que Leonard Cohen n'a jamais vraiment quittée. La célébrissime chanson « Suzanne », adaptée en français par Graeme Allwright et dont Cohen a déjà dit qu'elle était la plus belle de sa carrière, aurait été écrite au café Le Bistro, rue de la Montagne, au centre-ville, dans les années 1960. Cette chanson serait née de sa rencontre avec la danseuse Suzanne Verdal, qui vivait alors dans un loft donnant sur le fleuve Saint-Laurent. C'est là que la belle amoureuse servait à l'artiste du thé au jasmin et des oranges venues de la lointaine Chine, comme l'évoque la chanson, le tout sous le regard bienveillant de Notre-Dame de Bonsecours, protectrice des marins, dont la statue domine la ville, du haut du clocher de la chapelle du même nom, dans le Vieux-Montréal.

Né sur les vertes collines du quartier Westmount, au sein d'une famille juive traditionnelle, originaire de l'Europe de l'Est et fuyant les pogroms, le jeune Leonard Cohen, au début de l'âge adulte, migre rapidement vers le quartier plus bohème du Plateau Mont-Royal. C'est rue Saint-Dominique, juste à côté du parc du Portugal, dans un quartier qu'il habite encore aujourd'hui à l'occasion, que sont nés ses deux enfants, Adam et Lorca. Dans son dernier recueil de poèmes, *The Book of Longing* (McLelland & Stewart, 2006), Cohen a dessiné sa maison à Montréal. Le dessin est accompagné d'un poème du chanteur, ici traduit par le poète québécois Michel Garneau. « De la fenêtre du troisième étage, devant le parc du Portugal, j'ai regardé la neige tomber toute la journée. Il n'y a personne ici, il n'y a jamais personne » (*Le Livre du constant désir*, Montréal, éd. de l'Hexagone, 2007).

Pour Leonard Cohen, Montréal est un endroit où travailler et où se reposer, à l'écart de la frénésie de Los Angeles, et plus près de ses origines que dans les îles grecques, où il a également une résidence. « Si vous cherchez mon père à Montréal, dit Adam Cohen, il est généralement dans un périmètre de cent mètres autour de sa maison », c'est-à-dire dans le désordre bourdonnant du boulevard Saint-Laurent, qui coupe la ville en deux, et divisait autrefois ses quartiers francophones et anglophones.

Il n'y a pas vraiment de traduction française pour le mot *home*, c'est pourtant en ces termes qu'Adam Cohen définit Montréal, pour lui comme pour son père. « Montréal, c'est notre passeport. Ce n'est pas que notre lieu de naissance. C'est un endroit auquel on s'identifie, que l'on aime et que l'on ne célèbre trop souvent qu'à partir de l'étranger. » Un endroit où il fait toujours bon revenir, ajoute-t-il.

Caroline Montpetit

MONTRÉAL IMPALPABLE

Une île ? N'est-ce pas ce qu'est Montréal pour la plupart des gens ? Et si tous se trompaient ? Et si Montréal n'était pas une île ? Le mont Royal, pas vraiment une montagne ? Et si les tracés anciens devenaient visibles ? Petite leçon de géographie urbaine pour voir la ville d'un autre œil.

Sur la carte déployée de Montréal et de ses environs, l'évidence apparaît. Montréal n'est pas une île : c'est un archipel, formé de plus de 400 îles, de dimensions variables, résidus d'un ensemble de collines surgies de la vaste mer de Champlain il y a 12 000 ans et qui se sont agglutinées dans le goulot du golfe Saint-Laurent. Sur ces îles aux noms divers – île Perrot, îles de Boucherville, île aux Noix, île des Sœurs, île Sainte-Thérèse, île Notre-Dame, île Bizard… –, les deux plus grandes (l'île de Montréal et l'île Jésus), hérissées de gratte-ciel et arrimées au continent par neuf ponts que prennent d'assaut deux fois par jour environ 170 000 voitures de toutes sortes, sur ces îles donc vivent aujourd'hui 1,9 million d'habitants, si l'on s'en tient à la ville de Montréal en tant que telle, 3,7 millions d'habitants si l'on considère l'agglomération montréalaise, soit environ 48 % de la population du Québec, qui en compte 7,8 millions.
De même que l'œil exercé voit maintenant un archipel là où il voyait une île, il doit voir, lucidement, une colline – le mont Royal – là où tous les Montréalais s'entêtent à voir une montagne, comme en témoigne le nom familier – « la Montagne » – donné à ce sommet qui est à Montréal ce que la petite sirène est à Copenhague. Vue du haut des airs, la nuit, dans un coucou survolant la ville à basse altitude, la masse sombre du mont Royal apparaît d'ailleurs comme un gros félin endormi au milieu d'éclaboussures de lumière. Spectacle fascinant qui en dit long sur les particularités de la géographie montréalaise. Cependant, à la lumière du jour, c'est bien trois collines qu'il faut voir, puisque le mont Royal, apparu à l'ère glaciaire, compte trois sommets, respectivement de 233, 211 et 201 mètres, chacun pourvu de propriétaires et de fonctions idoines.

À chacun son royaume

Le premier sommet, le plus élevé, correspond au parc du Mont-Royal, propriété de la ville de Montréal. Sa fonction est récréative. Elle l'est pour les randonneurs qui sillonnent ses sentiers comme pour les ratons laveurs qui font du boucan avec ses poubelles à la nuit tombée. Elle l'est aussi pour la petite foule de jeunes gens babas cool qui s'y donnent rendez-vous le dimanche pour taper avec conviction sur des djembés au cours d'un rassemblement spontané appelé « Tam-Tam ». En 2005, le gouvernement du Québec a classé arrondissement historique et naturel cette partie du mont Royal, depuis aire protégée.
Le deuxième sommet est celui d'Outremont. Y reposent pour l'éternité des générations de Montréalais, à l'ombre de ses grands érables, puisque le lieu abrite quatre cimetières, ceux de Notre-Dame-des-Neiges, de Mont-Royal, de Spanish and Portuguese-Shearith Israel et de Shaar Hashomayim. Ce sommet est donc en réalité une nécropole, l'une des plus grandes en Amérique du Nord.
Le troisième sommet est celui de Westmount, sanctuaire d'oiseaux et de fleurs grâce aux parcs Summit et Sunnyside offerts à la flânerie, écrin de verdure où se font oublier quelques belles demeures privées en pierre entraperçues avant de gagner un belvédère, cette fois tout ce qu'il y a de public, d'où, Rastignac du Nouveau Monde, dominer la ville avant de redescendre y vivre, travailler, s'amuser.

Aussi, redescendons et continuons d'ouvrir l'œil. Le chemin qui ceinture le mont Royal porte le nom de chemin de la Côte-Sainte-Catherine. Mais tout comme, non loin, les chemins de la Côte-Saint-Antoine et de la Côte-des-Neiges, le tracé du chemin de la Côte-Sainte-Catherine, aujourd'hui large rue, épouse très exactement celui de sentiers qu'empruntaient les peuples iroquoiens, suivant le nom donné par les ethnologues à cette famille de peuples autochtones dont les Iroquois, parmi d'autres, font partie et qui se sont établis entre le XIe et le XVIe sur le site appelé Hochelaga. Ce site à l'étymologie incertaine, qui pourrait signifier « gros rapides » dans les langues iroquoiennes, deviendra Montréal.

Montréal réserve encore bien des surprises au flâneur qui a la tête un peu rêveuse et des rudiments d'histoire. En cette radieuse journée de mai, j'ai rendez-vous au square Saint-Louis, sur le Plateau Mont-Royal, avec Marie-Dominique Lahaise – regard clair, poignée de main énergique –, guide à l'Autre Montréal. Depuis vingt-cinq ans, cette association engagée à gauche s'efforce de mieux faire connaître la ville aux Montréalais comme aux visiteurs de passage, trop souvent abonnés au seul quartier touristique du Vieux-Montréal. Aux artificieuses promenades en calèche, l'organisme oppose, construit autour d'un thème, le parcours brinquebalant d'un ancien autobus scolaire réquisitionné pour la circonstance. Le voici justement qui remonte la rue. À peine ai-je le temps de méditer sur la rencontre un brin surréaliste, dans ce jardin public d'inspiration victorienne, des sculptures de ferraille brute de l'artiste Armand Vaillancourt, d'une fontaine en fonte du XIXe siècle aux grâces académiques et des statues des poètes Louis Fréchette et Émile Nelligan que la guide et moi grimpons à bord de l'engin où une trentaine de visages nous examine bientôt avec curiosité. Thème de la visite d'aujourd'hui : l'immigration montréalaise et le patchwork qui en a résulté en deux petits siècles. Car l'histoire de l'immigration à Montréal ne commence véritablement qu'au début du XIXe siècle, avec l'arrivée massive en Amérique du Nord d'Irlandais dépenaillés qui trouvent alors à Montréal un gros bourg – 25 000 habitants en 1825 – agrippé au fleuve et entouré de champs. C'est donc ça, l'Amérique ?

« Montréal, m'explique quelques jours plus tôt Bernard Vallée, l'un des concepteurs de l'Autre Montréal, est une ville qui se mérite, une ville qui, quand on l'apprécie, suscite autant de plaisir que d'exaspération, ce qui est bien une preuve d'amour, non ? » Amoureux de Montréal, ce natif de Rennes l'est devenu, après y avoir mis le pied pour la première fois en 1973 afin d'y poursuivre des études d'architecture. Son séjour devait durer un an. L'homme y a fait sa vie, séduit, dit-il, par ses habitants qui accueillent choses et personnes « pour ce qu'elles sont, non pour ce qu'elles devraient être », notamment, sans les préjugés de classe que le Français qu'il n'est plus tout à fait ne manque pas de voir à l'œuvre dans les rapports entre les gens, quand il retourne en France. « Et ce fleuve ! ajoute-t-il, c'est à pleurer de joie ! »

Plusieurs vagues d'immigrants

Pleuraient-ils de joie, les milliers d'Irlandais chassés de leur terre natale par la grande famine de 1845 et qui débarquèrent dans le port de Montréal, principalement entre 1847 et 1860, malades du typhus, du choléra ou de la rougeole ? Ceux-là, du moins, avaient survécu à la traversée. Il leur fallait maintenant surmonter l'épreuve de la mise en quarantaine dans des baraquements sanitaires, précisément là où s'élève aujourd'hui le casino de Montréal, lui-même installé dans ce qui fut le pavillon de la France au moment de l'Exposition universelle de 1967. De cette immigration irlandaise devait naître le premier quartier ouvrier multiethnique de Montréal, Griffintown, où se côtoient à la fin du XIXe siècle, et non sans quelques bagarres de ruelles, 30 000 habitants (la démographie a entre-temps explosé) : Irlandais, Écossais, Canadiens français, Juifs venus d'Europe de l'Est et parlant yiddish, ces derniers devant faire de Montréal, avec New York et Buenos Aires, l'un des principaux foyers de la culture yiddish hors d'Europe. Plus exactement, à Montréal, les Juifs parlant yiddish se sont surtout établis le long du boulevard Saint-Laurent, principal axe nord-sud et pour cette raison appelé la Main (prononcer à l'anglaise : mééén), aujourd'hui avenue vibrante et branchée, où les traces d'un passé yiddish se font chaque jour plus ténues.

À ces premiers arrivants irlandais succéderont à Montréal, dans les années 1950, les vagues d'immigration portugaise, grecque et italienne, semant dans leur sillage des façades peinturlurées de couleurs vives et des jardinets où poussent encore maintenant avec allégresse des tomates et les treilles de la vigne. De nos jours, c'est le quartier Côte-des-Neiges, plus à l'ouest, qui est l'un des lieux de la nouvelle immigration à Montréal, cette fois chilienne, salvadorienne, mexicaine, pakistanaise, indienne, maghrébine, africaine ou haïtienne – les Haïtiens sont cependant présents depuis les années 1960, surtout dans les quartiers nord de la ville, où vit maintenant toute une immigration latino-américaine, parfois difficilement.

Du Griffintown d'origine, adossé au fleuve Saint-Laurent, tombé en déshérence dans les années 1920, rasé dans les années 1960 pour faire place à des bretelles d'autoroute, ne subsistent plus que quelques maisons aux silhouettes trapues et aux toits mansardés. Derrière des murets bétonnés se devine le canal Lachine aménagé en 1925 pour permettre aux cargos de gagner l'intérieur du continent en suivant le fleuve, aujourd'hui site historique sillonné de bateaux-mouches à la belle saison, bordé d'une piste cyclable qui fait le bonheur des amateurs pendant 12 kilomètres.

Le plus étonnant reste à venir. Derrière deux maisons datant des années 1840 – le Moyen Âge à l'échelle du Nouveau Monde – et épargnées par le pic des démolisseurs en raison de l'obstination de leurs propriétaires successifs, s'élève un amas précaire de baraques en tôle et en bois qui n'auraient pas déparé dans un bidonville de Rio. Guide en tête, notre petit groupe emprunte une ruelle bordée de vigne sauvage qui débouche dans la rue Ottawa, à l'angle de la rue Éleanor, tandis qu'une odeur fauve prend à la gorge. Dans un enclos, un cheval broute paisiblement.

Les baraquements, demeurés en l'état depuis leur construction en 1862, sont en réalité des écuries, dont les pensionnaires à quatre pattes ne sont plus les canassons du livreur de glace, du laitier ou du chiffonnier, croqués sur le vif dans les romans du grand romancier anglo-montréalais Mordecai Richler (*St. Urbain's Horseman, The Apprenticeship of Duddy Kravitz*), mais de braves bêtes qui, après avoir promené pendant tout le jour leur lot de touristes dans les calèches du Vieux-Montréal, trouvent ici une litière propre, du fourrage et de l'eau fraîche comme au temps de Flaubert.

Le Griffintown Horse Palace, où nous nous trouvons, fait partie de la demi-douzaine d'écuries urbaines encore actives à Montréal, celle-ci ayant assurément gardé son cachet d'origine, avec pour toile de fond les gratte-ciel du cœur financier de la ville, littéralement à deux pas. « À droite, explique la guide, en montrant une maison qui semble encore tenir debout par miracle, était le relais de poste. L'auberge se trouvait à l'étage. »

Ce sont de telles acrobaties avec le passé qui confèrent à Montréal un charme tour à tour victorien, moderniste, brutaliste. Bernard Vallée peut bien pester contre les gigantesques silos à grains dans le Vieux-Port, construits au début du siècle dernier, certains désaffectés, d'autres toujours en opération, et les raffineries de pétrole, qui, dit-il, gâchent aux Montréalais la vue sur le fleuve. Pourtant, les silos à grains nord-américains enflammèrent l'imagination du jeune Le Corbusier, et ceux de Montréal n'ont rien de monstrueux pour les historiens et les urbanistes, qui y voient un patrimoine industriel susceptible, avec d'autres éléments, d'inscrire un jour Montréal sur la liste du patrimoine mondial de l'Unesco, en qualité de « plaque tournante océanique et continentale » (pour une présentation détaillée de l'argumentaire, voir David B. Hanna, « Montréal, plaque tournante océanique et continentale : un site du patrimoine mondial en devenir », *in* Pierre Delorme (dir.), *Montréal aujourd'hui et demain. Politique, urbanisme et tourisme*, Montréal, éd. Liber, 2009).

Cela étant, Bernard Vallée ne cesse d'apprécier la convivialité d'une ville qui permet à certains, raconte-t-il d'expérience, de passer la soirée entre amis dans leur cabanon sur l'île Sainte-Thérèse, d'y dormir si l'envie leur en prend, avant de sauter dans une barque au matin, puis dans leur voiture, pour se rendre au bureau le plus simplement du monde, en oubliant les effluves d'œufs pourris qui sortent par intermittence de l'usine de traitement des eaux usées croisée… au large, pour ainsi dire.

Marie-Andrée Lamontagne

MONTRÉAL EN 2111

C'est bien connu : nous vivons le nez collé sur le présent. Cet ouvrage ne procède pas autrement, en offrant un instantané de la culture et de la vie menée à Montréal en l'année 2011. Dans ces dernières pages, toutefois, la rédaction prend la tangente et s'interroge : un siècle plus tard, à quoi Montréal pourrait-elle ressembler ?

Ce futur lointain vers lequel nous fonçons, confiants, inquiets ou inconscients, trois acteurs en vue de la vie culturelle à Montréal ont accepté de le rêver un instant : une élue municipale, un designer industriel, un médiateur culturel en art contemporain. Parmi eux, à dessein, aucun écrivain d'anticipation. Plutôt, trois devins improvisés, appartenant à des générations différentes et disposés à laisser courir leur imagination, celle-ci empruntant non pas la forme, plus attendue, de l'entrevue, mais celle d'un texte bref. En quelques lignes et avec un grain de folie, pouvaient-ils décrire Montréal en 2111 ? Telle était l'unique question posée, en insistant sur la date horizon.
Tous trois se sont pliés de bonne grâce à l'exercice. L'une campe Montréal dans un paysage fantaisiste et un brin énigmatique ; l'autre se réjouit de voir une ville nettoyée de ses fils électriques et rêve de millions de Montréalais à vélo ; le dernier songe au temps lointain des œuvres d'art encore matérielles. Leurs divagations, un brin utopiques, servent de contrepoint tout indiqué aux planches du bédéiste montréalais Thierry Labrosse, qui a publié récemment le premier d'une série d'albums (*Ab Irato*, t. I : *Riel*, Vents d'Ouest, 2010) où, d'un vigoureux coup de crayon, ce dernier plonge le lecteur dans Montréal… en 2111. Est-ce vraiment le futur qui nous attend ? Dans l'immédiat, interrogeons nos trois auteurs improvisés. Que voient-ils de Montréal quand ils se laissent aller à rêver ?

Marie-Andrée Lamontagne

Helen Fotopulos, élue municipale

Juché au sommet du mont Royal, le dôme de l'oratoire s'affichait avec majesté dans ce cadre champêtre qui fut autrefois celui d'une bouillante cité. Telle une sentinelle, il montait la garde sur un troupeau de moutons qui broutait avidement les pentes de la Côte-des-Neiges dans le tintinnabulement des sonnettes attachées à leur col. Soudainement, dans la baie, l'écho d'un cor venu de loin me saisit. Depuis mon poste d'observation, je distinguais nettement le traversier [terme québécois désignant un ferry, *Ndlr*] *en provenance de Manhattan qui, onduleux, contournait le cap. Des vagues naissaient à son approche et troublaient la sérénité de la baie Notre-Dame-de-Grâce. Comme un éclair lumineux, j'aperçus du coin de l'œil le scintillement d'un objet de verre informe qui reposait sur la plage de roseaux. Intriguée, je descendis jusqu'au rivage car le départ tardif pour Manhattan me permettait de vaquer à ma flânerie et d'enfin satisfaire ma curiosité légitime. Je m'approchai prudemment pour faire place à ma découverte : il s'agissait d'une bouteille, visqueuse et recouverte d'herbes aquatiques. En auscultant cet orphelin marin, je pus deviner à travers sa surface opaque qu'il dissimulait quelque mystère en son sein.*
Ce fut une tâche ardue que d'en forcer l'ouverture afin de déchiffrer son secret. J'extirpai de la bouteille un petit morceau de papier soigneusement plié où l'on pouvait retrouver cette inscription sibylline qui disait : « Pouvez-vous voir l'avenir ? » La note anonyme indiquait seulement comme piste l'année 2010. Cette étrange et grave question d'un autre temps me transforma en philosophe du futur. Après mûre réflexion, et avant de remettre ce malheureux message dans son contenant scellé, j'ajoutai l'annotation suivante : « Désolée, janvier 2111, pas encore » et je rejetai la bouteille à la mer.

Helen Fotopulos est membre du comité exécutif de la ville de Montréal, responsable de la culture, du patrimoine, du design et de la condition féminine. Elle est également conseillère municipale du district de Côte-des-Neiges dans l'arrondissement Côte-des-Neiges/Notre-Dame-de-Grâce.

Michel Dallaire, designer industriel

À quoi ressemblera Montréal en 2111 ?

À une mégaville refusionnée [entre ses différents arrondissements et ses villes de banlieue fusionnées en 2002 par décision de l'État québécois, processus annulé en 2006 à la suite d'élections ayant conduit à un changement de gouvernement, *Ndlr*], *gérée par un groupe restreint d'élus de toutes origines. Montréal aura son super-aéroport international à Mirabel qui sera accessible par un réseau ferroviaire ultrasophistiqué et rapide. Bien sûr, tous les déplacements en ville se feront grâce au Bixi. Comment pourrait-il en être autrement ? Dès l'apparition du vélocipède il y a plus d'un siècle et demi, le vélo a trouvé la forme qui lui convenait. Mettez-lui deux roues au lieu de trois si vous voulez, changez l'alliage qui en est le matériau, le principe demeure le même : l'homme mû par son énergie propre. En 2111, toute l'île de Montréal sera sillonnée de Bixis ultralégers, sur lesquels pédaleront des Montréalais ultralégers, c'est-à-dire minces, beaux, en forme…*

Il n'y aura plus non plus de poteaux croches dans notre environnement visuel puisque l'électricité voyagera par champs magnétiques. Imaginez Montréal sans ses poteaux de téléphone et ses guirlandes ! Montréal sera la tour de Babel ; un mixte complexe de langues et de cultures qui aura enrichi notre pittoresque patrimoine. Les crucifix seront proscrits, même à l'hôtel de ville, mais les citoyens auront toujours droit à leur arbre de Noël.

Non, ce n'est pas un rêve !

Michel Dallaire, designer industriel montréalais de grande réputation, œuvre depuis plus de quarante-cinq années et compte plusieurs réalisations de marque à son actif. À Montréal, il a dessiné et conçu le Bixi, vélo offert en libre-service sur le modèle du Vélib' parisien, ainsi que l'ensemble du mobilier de la Grande Bibliothèque du Québec. Il a également conçu le design du mobilier urbain du Quartier international de Montréal (lampadaires, bancs de parcs, bancs de trottoirs, poubelles, supports à vélos et feux de signalisation routière).

Frédéric Loury, fondateur et président de la galerie [sas] et de l'événement Art souterrain

Montréal de demain.

Je sors de chez moi et je me penche sur le capteur qui enregistre mon iris afin de verrouiller mon domicile. Je fais quelques pas et attrape une navette électrique qui m'amène jusqu'au musée d'Art contemporain de Montréal. Sur le chemin, j'aperçois tous les jardins sur les toits. Montréal vient de remporter le prix de la Ville verte internationale. La circulation est fluide, car il ne reste presque plus de véhicules électriques privés, les permis étant très coûteux. Le réseau collectif dessert toutes les rues de Montréal. Sur le trajet, je reçois un appel à l'aide du microprocesseur qui m'a été implanté dans l'oreille. Je peux désormais recevoir toutes les communications écrites ou orales et converser en direct sans avoir à me pencher sur un écran. On m'annonce que le directeur du musée aura un peu de retard. Cela me laissera le temps d'admirer la nouvelle exposition dans la salle principale. Depuis plus de cinquante ans, l'art est devenu immatériel, Le collectionneur ou le conservateur acquiert des fichiers protégés en 2 ou 3D qu'il peut présenter dans des aires publiques ou privées.

Je m'aperçois que le petit déjeuner est un peu loin et j'avale une pilule commercialisée par l'Inde qui m'offre tous les éléments nutritifs dont j'ai besoin. À ma grande surprise, je découvre dans l'espace d'exposition une œuvre matérielle de Damien Hirst qui n'est pas numérisée. Je pose ma main sur la surface et me souviens qu'à une époque, les ateliers et les usines fabriquaient de la matière et donc des produits tangibles.

Né en France, en 1970, **Frédéric Loury**, après des études en commerce et administration à l'Idrac Paris, est venu s'établir au Québec, où il est d'abord responsable des ventes au détail au Québec au sein du groupe Hachette Distribution Service. En 2002, il ouvre la galerie d'art [sas] et, en 2009, met sur pied l'événement Art souterrain, qui fait la promotion et la diffusion de l'art contemporain dans le réseau de voies piétonnières souterraines de la ville, en présentant plus de 100 projets d'artistes sur un circuit de six kilomètres, pendant quinze jours. L'événement a été présenté, en mai 2010, à l'Exposition universelle de Shanghai, et a reçu, à l'automne 2010, le prix du meilleur événement à Montréal décerné par Destination Centre-ville.

p. 115, haut : Crayonné de Thierry Labrosse.

p. 115 et 116 : Thierry Labrosse, planches de l'album *Ab irato*, t. 1 : *Riel*, éd. Glénat, 2010.

*

NANOM-KEEA -PO-DA

CATHERINE MAVRIKAKIS

*

Au début, M. n'y avait pas vraiment prêté attention. Après le petit tremblement de terre qui avait secoué la ville, la vie avait rapidement repris son cours normal. Les autorités avaient inspecté à la va-vite les bâtiments fragiles. Des inspecteurs avaient fermé quelques vieux immeubles désaffectés. Des équipes de pompiers et de policiers étaient passées dans les écoles pour répéter à des élèves amusés par les événements les consignes en cas de catastrophe et puis, tout à fait simplement, les citoyens de Montréal s'étaient occupés à préparer la fête d'Halloween, qui approchait à grand pas. L'atmosphère bon enfant de la ville était vite revenue : les quartiers se paraient de citrouilles et les jardins de squelettes ou de tombes en plastique achetés fièrement au magasin à un dollar avant d'être plantés dans les pelouses humides, grasses de l'automne.
M. continuait chaque matin à « jogger » dans les sentiers de la montagne, avant de se rendre, toujours en courant, à son travail au 27e étage de la Place Ville-Marie, d'où elle contemplait le mont Royal en répondant au téléphone. Malgré la beauté de la vue, elle avait toujours regretté de ne pas avoir été embauchée par la firme de fiscalistes dont les fenêtres plongeaient en quelque sorte dans le fleuve Saint-Laurent et permettaient aux secrétaires de se retrouver, par le pouvoir de l'imagination, au mont Saint-Hilaire ou encore aux États-Unis, que l'on pouvait, c'est du moins ce qu'on affirmait, apercevoir là-bas, au loin. Mais ni les employées des fiscalistes ni celles des avocats n'avaient apprécié de sentir pendant quarante-quatre longues secondes la Place Ville-Marie tanguer comme un bateau sur la mer en donnant à tout le monde l'impression que la grande noyade ou la grande catastrophe, celle qu'on voit dans les films qui passent aux cinémas AMC ou encore Guzzo, n'était pas loin. M. avait cru que son étage allait s'affaisser contre le mont Royal imperturbable, stoïque et que sa mort n'était plus qu'une question de secondes. Le tremblement de terre, bien qu'assez faible sur l'échelle de Richter, avait marqué de façon très forte les esprits. Depuis cette journée de la fin septembre, M. avait quelque frayeur quand elle prenait l'ascenseur. Elle se voyait broyée dans la cabine ou suffoquant durant des jours dans la cage de métal entre les 18e et 19e étages. Et quand elle arrivait à son bureau, passait aux toilettes pour troquer ses Reebok pour ses chaussures Nine West à petits talons et ses vêtements de course Nike pour son tailleur Jacob, quand elle prenait possession de son ordinateur en y tapant son mot de passe et qu'elle pouvait enfin prendre sa première gorgée de café, M. fixait le mont Royal avec amour et confiance. S'il y avait quelque chose de stable dans ce monde, c'était bien cette montagne qu'elle traversait tous les matins pour se rendre de son logement de la rue Hutchison à son bureau boulevard René-Lévesque et sur laquelle, enfant, elle flânait le dimanche après-midi en compagnie de ses parents, au lac aux Castors, près

duquel elle faisait de la luge ou du patin l'hiver, ou encore au cimetière Notre-Dame-des-Neiges, où elle allait se recueillir, dès le printemps, sur la tombe de sa petite sœur, emportée par un cancer, alors que M. n'avait que 5 ans. Et bien que la vue vers le sud eût été plus divertissante, M. pensait souvent que ce n'était pas un hasard si elle passait sa journée devant la montagne, qui après tout lui appartenait, était un morceau bien ferme, consistant, de son existence heureuse, réglée.
M. s'apprêtait donc à fêter Halloween. Elle était invitée à une fête costumée chez une collègue de bureau. Elle avait déjà décidé quelle serait sa tenue de soirée. Elle imiterait Audrey Hepburn, dont elle avait toujours admiré l'élégance et à laquelle certaines de ses copines de classe l'avaient déjà comparée. Montréal est magnifique en octobre. Les feuilles rouges et jaunes rendent la ville somptueuse, durant un bref moment avant l'entrée dans le froid et la rencontre désagréable avec la névasse et le sel hivernaux.
Tout occupée à réunir les éléments de son déguisement et très excitée à l'idée de passer une soirée fort agréable avec des amis, M. n'avait pu constater que les créatures qu'elle croisait le matin en se rendant au travail ou encore le soir sur le chemin du retour avaient changé leurs habitudes. Le casseur de pierres, installé depuis deux ans au coin de Milton et Clark, ce destructeur de trottoir, qui démolissait dès 6 heures du matin les arêtes et les joints entre les plaques rocheuses au-dessus du caniveau, s'était mis depuis quelques jours à vociférer et à annoncer à qui voulait l'entendre la fin du monde. Il répétait en anglais qu'il devait terminer son ouvrage avant le *« Big Chaos »*. Les Amérindiens ou les Inuits qui squattaient l'avenue du Parc, au coin de Sherbrooke, montraient frénétiquement le mont Royal de la main et insultaient les passants peu généreux en leur annonçant que, de toute façon, ils crèveraient bientôt comme les autres et que la terre retournerait à ceux à qui elle appartient. M. n'avait jamais eu peur de ces gens qui terrorisaient un peu le quartier depuis leur arrivée à Montréal, il y avait déjà quelques années, et qui s'étalaient sur le trottoir ou sur la chaussée, ivres, ou les narines et les veines gorgées de drogues illicites. D'où venaient-ils ? Quelle mémoire de leurs territoires ancestraux portaient-ils en eux ? Ils ne feraient pas long feu, pensait souvent M. On assistait à leur extinction en direct sur l'avenue du Parc, sans que cela change grand-chose à la vie des passants. Même si elle s'était liée de sympathie avec une femme du groupe en lui donnant chaque soir à 17 h 30 une petite pièce de monnaie, pour la chance, comme elle le pensait, parce que cette femme lui souhaitait *good luck, lady*, M. n'osait rien demander à ces créatures mystérieuses, semblant venir tout droit d'un autre monde, précipitées sous peu vers la mort et avalant pourtant, au cœur de la ville, la modernité dans ses gaz et substances toxiques. Elle n'avait pas osé interroger ces

êtres étranges que ses collègues de travail, qui empruntaient parfois le même chemin que M., rêvaient de voir expulsés. Depuis le tremblement de terre, pourtant, plusieurs de ces hommes et de ces femmes que M. voyait comme des animaux blessés avaient tenté de lui parler et voulaient la prévenir du danger qui guettait la ville : Nanom-keea-po-da, l'esprit souterrain... Mais M. ne s'occupait plus que de son costume d'Halloween, elle ne pensait plus qu'à Audrey Hepburn et à son régime strict qui lui permettrait d'entrer dans cette petite robe noire, tellement Breakfast at Tiffany's.
Quand elle se réveilla, le matin du 1er novembre, dans la chambre de Kate, sa collègue de travail, M. venait de faire un rêve bien étrange. Sa sœur, morte depuis déjà tant d'années, lui demandait doucement de venir au cimetière Notre-Dame-des-Neiges et rappelait à M. l'habitude que celle-ci avait de fleurir sa tombe lorsque Papa et Maman étaient encore vivants. Perturbée par ce rêve, M. ne reconnut pas tout de suite la pièce dans laquelle elle se trouvait. Vers 2 heures du matin, très nauséeuse, elle avait demandé à son hôte Kate si elle pouvait aller s'étendre un instant dans la chambre. Elle s'était visiblement endormie malgré les rires, les effusions de voix et la musique trépidante qui secouait tout l'immeuble. Dès qu'elle comprit dans quel lit elle se trouvait allongée, M. se leva précipitamment pour immédiatement sentir le sol se dérober sous elle, comme si la terre se mettait à avoir le hoquet. Elle avait décidément trop bu durant la fête, une envie de vomir la tenaillait et elle devrait vivre toute la journée, c'est du moins ce qu'elle imaginait, avec un redoutable mal de tête. En allant avec prudence vers les toilettes, elle constata que l'appartement était désert. Une odeur de bouteilles vides et de corps en sueur régnait. Les invités étaient visiblement rentrés chez eux et même Kate avait quitté les lieux pour aller vraisemblablement finir la nuit chez son amoureux. Il était 5 h 45, c'est ce que l'horloge de la cuisinière dont elle pouvait voir de loin les lumières fluorescentes apprit à M., qui décida alors de rentrer sagement chez elle. Avant de prendre son petit manteau noir et d'enfiler ses gants assortis, elle constata qu'elle était encore vêtue de sa robe Breakfast at Tiffany's et que son chignon très *sixties* avait tenu le coup, malgré les quelques heures passées sur l'oreiller de Kate. Alors que M. refermait la porte de l'appartement donnant sur le hall d'entrée, le parquet se mit à gondoler brutalement sous ses pieds, et M. dut admettre que ce n'était pas seulement les cinq ou six verres de vodka qui lui donnaient la nausée, mais que la terre venait de recommencer à trembler doucement, à intervalles réguliers. Dans le lit de Kate, elle avait ressenti quelque chose de ce bercement du sol, mais fatiguée comme elle l'était, M. avait préféré se laisser aller à ce balancement presque rassurant. M. se retrouva dans la rue Ridgewood encore toute noire. Elle se sentit enveloppée par la masse épaisse, humide que formait

le brouillard autour d'elle. La journée serait particulièrement brumeuse. Cela arrive souvent au début de novembre à Montréal. En courant, elle dévala la rue pour se retrouver sur la Côte-des-Neiges, où les lumières des réverbères dessinaient de grands halos de vapeur froide. C'était l'heure où les gens dorment tous : ceux qui ont fêté sont hagards, enfouis dans un sommeil lourd, et les plus sages, ceux qui se sont endormis tôt, profitent des derniers moments de repos, en tenant d'oublier que la cité se réveillera bientôt. Il était presque 6 heures à la montre de M. Dans quelques minutes, un autobus diligent arriverait. La jeune femme attendrait donc au coin de la rue vide. Elle se planta devant l'arrêt mais comme elle avait un peu froid, pénétrée par cette brume glaciale, elle décida de marcher jusqu'au prochain arrêt en face du cimetière. M. avançait bravement dans le brouillard nocturne en repensant au succès qu'elle avait eu la veille en Audrey Hepburn. Elle tenait fermement son petit sac noir sur lequel on l'avait tant complimentée durant la soirée et elle se demandait en riant ce qu'Holly Golightly, l'héroïne de Truman Capote, ferait dans une situation aussi cocasse que celle qu'elle vivait. Elle se mit à rire, se sentit rassérénée et sortit de son sac une paire de lunettes noires qu'elle mit sur son nez, malgré la nuit profonde. Arrivée à l'arrêt au coin de la rue Forest Hill, M. s'arrêta, ôta quelques secondes ses lunettes et vit que le portail du cimetière, qui à pareille heure, reste toujours fermé, était grand ouvert. Traverser à pied le mont Royal par le cimetière pour retourner chez elle, de l'autre côté de la montagne, semblait tout à coup pour M. une aventure tentante, digne de la jeune femme intrépide qu'elle voulait incarner. Le soleil se lèverait bientôt. Il ne faisait déjà plus tout à fait nuit. C'était Halloween après tout. Peut-être qu'on avait ouvert le cimetière pour l'occasion... M. espérait pouvoir s'arrêter sur la tombe de sa sœur en chemin. Son rêve lui revenait tout à coup comme une douce prémonition. Enhardie par les signes du destin, M. traversa la Côte-des-Neiges. Le cimetière était peu éclairé et M. se demanda si elle ne ferait pas mieux de rebrousser chemin et d'attendre sagement l'autobus au coin de la rue. Des phares de voitures émergeaient du brouillard de loin en loin et semblaient l'exhorter à retourner sur ses pas, alors que les derniers tremblements du sol l'inquiétaient un peu. Néanmoins, M. continua à avancer dans le cimetière. Un nuage semblait envelopper le mont Royal et une fumée âcre se mêlait aux gouttes d'eau en suspension, irritant légèrement la gorge de M. Une odeur de soufre parfumait l'air et M. se dit qu'un feu devait dévaster quelque maison ou quelque usine des environs de la ville. M. marchait vite malgré ses petits talons. Les années de jogging lui avaient appris à ne pas flâner sur les routes, et elle se surprit même à avoir envie de danser comme l'aurait probablement fait Holly dans un cimetière, la nuit de Halloween... Le soleil tardait à

montrer ses premiers rayons. Plus M. pénétrait dans le cimetière, plus le ciel se faisait brumeux, épais, comme si le jour, en ce matin du 1er novembre, refusait de se lever. Tout à coup, une forme se détacha au loin. Il y avait devant M., à environ 300 mètres, une petite tribu d'êtres vivants qui se tenaient devant une tombe, en silence. Au moment où M. aperçut ces créatures qui semblaient de loin venir d'un monde inconnu ou encore sortir des entrailles de la montagne, le sol se mit à bouger dangereusement. Les secousses durèrent une bonne quinzaine de secondes. M. s'immobilisa... Quand la terre redevint stable, elle se dirigea en courant vers ces êtres là-bas au loin qu'elle craignait peut-être un peu, mais qui semblaient malgré tout plus rassurants que cette terre affolée qui se mettait à danser la gigue aux petites heures du matin. En cavalant ainsi, M. se dit qu'elle connaissait bien le sentier qu'elle venait d'emprunter. Mais la peur et le brouillard rendaient sa pensée épaisse, ankylosée. Était-ce un mirage que ce groupe sombre qui se détachait là-bas ? Où était-elle ? Tout à coup, M. reconnut la « good luck, lady », cette Amérindienne à qui elle donnait une pièce de monnaie chaque soir, entourée de ses acolytes de la rue du Parc. Cette dernière fit signe à M. de la rejoindre comme si elle l'avait attendue. Essoufflée, M. se trouva au milieu de ces hommes et femmes qui s'étaient en fait regroupés juste devant la tombe de sa petite sœur, dans un recueillement encore plus dense que le brouillard âcre qui les entourait. La « *good luck, lady* » attrapa M. par la main, se pencha vers elle et lui annonça *ex abrupto* que la bouche béante du mont Royal crachait vers le ciel sa furie archaïque : « Le volcan redevient vivant et lance vers le ciel tous les morts de cette ville. Ils nous sont tous redonnés, de même que nous est redonnée la ville. » La femme n'avait pas terminé de parler que M. sentit le sol se dérober sous elle. La terre entreprenait une chorégraphie obscène. Elle donnait son ventre à voir, s'ouvrait lubriquement pour laisser passer par ses orifices offerts une fumée noire et des torrents de lave visqueuse et chaude. En quelques instants, le cimetière fut recouvert d'un magma incandescent et le bruit assourdissant d'immeubles qui s'écroulent se mêlait à l'horreur de ce petit matin de l'apocalypse. La « *good luck, lady* » avait disparu. À côté de M. se trouvait une petite fille qui la tenait par la main en lui souriant. La terre était fâchée pour de bon, le monde s'écroulait mais Margot était là. C'est du moins ce que M., rassurée par cette présence douce, sentit avant d'être avalée par l'ancestrale montagne, vengeresse, cruelle.

DIRECTRICE D'OUVRAGE

Marie-Andrée Lamontagne est écrivain, éditrice, journaliste et traductrice. Elle a publié des textes de fiction et de critique dans diverses revues littéraires, tant au Québec qu'en France (*Liberté, L'Inconvénient, L'Atelier du roman, La Traductière, Argument, Spirale,* la *NRF,* Le *Nouveau Recueil,* les *Cahiers Contre-Jour,* etc.). Dernier ouvrage paru : *Les Fantômes de la Pointe-Platon,* récit poétique, Le Noroît, 2009. Elle prépare une biographie de la romancière et poète Anne Hébert (à paraître aux éditions du Boréal). Elle a dirigé les pages culturelles du quotidien québécois *Le Devoir* ; a travaillé pour diverses maisons d'édition à Montréal (Bibliothèque québécoise, Leméac Éditeur) et poursuit actuellement une activité d'écrivain, d'éditrice (Fides) et de journaliste. Elle est membre du comité de rédaction des revues *La Traductière* (Paris) et *Argument* (Montréal).

COLLABORATEURS
(par ordre d'apparition des textes)

Caroline Montpetit est journaliste. Elle signe des articles depuis vingt ans dans le quotidien *Le Devoir* de Montréal. Depuis 1999, elle y a couvert les actualités culturelles, notamment dans le supplément littéraire du samedi, où elle a signé de nombreux portraits d'écrivains, avant de couvrir maintenant le secteur « société ». Elle est l'auteur de deux recueils de nouvelles, *Tomber du ciel* (2006) et *L'Enfant* (2009), tous deux parus aux éditions du Boréal.

Nicolas Mavrikakis est critique d'art pour le journal *Voir Montréal* depuis 1998. Il a aussi écrit des textes pour plusieurs revues canadiennes, dont deux (*ETC* et *Spirale*) où il a été membre des comités de rédaction. Il a participé au colloque « La critique d'art entre diffusion et prospection » qui s'est tenu au musée d'Art contemporain de Montréal en 2007 en y présentant « Mais qui veut de véritables critiques ? ». Il est aussi commissaire d'expositions. En plus de ces activités, il enseigne l'histoire de l'art et la littérature française.

Auteur et réalisateur, **Daniel Canty** crée des livres, des films, et des interfaces poétiques pour Interaction Web et *In situ.* Coauteur du *Livre de chevet* (Le Quartanier, 2009) et d'*Angles. Elektra 10_ essais* (2009), il est également fondateur de l'espace Web *Horizon Zéro* (2001), consacré aux arts numériques au Canada, et de la section *Temps zéro Cinémas en mutation* du Festival du nouveau cinéma de Montréal. Parmi ses projets récents, mentionnons A1 (www.ay-one.net), qui combine édition et interaction, son dernier film, *Cinéma des aveugles* (Metafilms, 2010) et *Le Tableau des départs,* un projet pilote en arts numériques destiné au quartier Parc-Extension de Montréal.

Journaliste culturelle au quotidien *Le Devoir* depuis vingt ans, directrice du supplément « Livres » en 1992 et 1993, **Odile Tremblay** est responsable au journal, en tant que journaliste et critique, de la section cinéma. Elle a remporté en 1994 le prix Jules-Fournier pour la qualité du style et en 2005 le prix Judith-Jasmin dans la catégorie « Opinion », pour une chronique qui se penchait sur l'héritage religieux du Québec et sa représentation cinématographique.

Professeur, critique de littérature et de danse au quotidien *Le Devoir* et dans plusieurs revues, dont *Jeu, Revue de théâtre,* auteur, **Guylaine Massoutre** a publié deux volumes de l'édition critique de l'œuvre d'Hubert Aquin, reçu le prix Raymond-Klibansky pour *Hubert Aquin. Point de fuite* (Bibliothèque québécoise, 1995). Auteur d'un essai sur la danse, *L'Atelier du danseur* (Fides, 2004), prix Spirale-Eva-Le-Grand, ainsi que d'un recueil d'essais, *Escale Océan* (Le Noroît, 2004), elle a publié une fiction, *Renaissances. Vivre avec Joyce, Aquin, Yourcenar* (Fides, 2007).

Évelyne de la Chenelière, auteur et comédienne, a écrit plusieurs pièces de théâtre qui ont été montées au Québec ainsi qu'à l'étranger, et traduites en plusieurs langues : *Des fraises en janvier, Au bout du fil, Henri & Margaux, Aphrodite en 04, L'Héritage de Darwin, Bashir Lazhar, Le Plan américain* (prix de la meilleure pièce du festival Primeurs à Saarbrücken, en Allemagne, en 2009), *Les Pieds des anges, L'Imposture.* En 2006, elle reçoit le prix littéraire du Gouverneur général pour un recueil de ses pièces intitulé *Désordre public* (Fides). Issue du Nouveau Théâtre Expérimental, elle travaille régulièrement en tandem avec le metteur en scène et comédien Daniel Brière. Sa pièce, *Bashir Lazhar,* fait actuellement l'objet d'une adaptation cinématographique, écrite et réalisée par Philippe Falardeau. Elle est de la distribution du plus récent film de Jean-Marc Vallée, *Café de Flore* (2011).

Marie-Nathalie LeBlanc est anthropologue et professeur au département de sociologie de l'université du Québec, à Montréal. Ses principales publications traitent de la jeunesse et des transformations sociales dans les sociétés postcoloniales en Afrique (Côte d'Ivoire et Mali) et au Québec. Elle a récemment dirigé un projet sur les jeunes rappeurs, la sociabilité et la discrimination à Montréal.

Gabriella Djerrahian soutient un doctorat en anthropologie à l'université McGill. Elle travaille sur les questions de l'intégration, de la « racialisation », de la diaspora et de la nation.

Ian McGillis a grandi dans l'Ouest canadien et s'est établi à Montréal, en 1998. Journaliste, il a codirigé pendant dix ans le supplément littéraire *The Montreal Review of Books,* et collabore régulièrement au quotidien montréalais *The Gazette,* ainsi qu'à divers journaux et magazines, tant au Canada qu'à l'étranger. En 2003, il a publié un premier roman, *A Tourist's Guide to Glengarry* (The Porcupine's Quill), finaliste à plusieurs prix littéraires.

Médecin de formation, **Marc Zaffran** a pratiqué la médecine générale en France de 1982 à 2008. Sous le pseudonyme de **Martin Winckler**, il est l'auteur d'une quarantaine d'ouvrages, en particulier *La Maladie de Sachs* et *Le Chœur des femmes* (POL, 1998 et 2009). Depuis 2009, il vit à Montréal, où il est actuellement chercheur invité au Centre de recherches en éthique de l'université de Montréal (CRÉUM). Son dernier roman en date, *Les Invisibles* (Fleuve noir, 2011), se déroule dans sa ville d'adoption.

Catherine Mavrikakis enseigne la littérature à l'université de Montréal. Elle a publié quatre romans, une pièce de théâtre et plusieurs essais. Son dernier roman, *Le Ciel de Bay City,* paru en 2008 à Montréal (éd. Héliotrope) et en 2009 en France (éd. Sabine Wespieser), a été salué par la critique et a reçu trois prix au Québec. Elle a fait paraître en 2010 *L'Éternité en accéléré* (Héliotrope), recueil de textes qui réfléchit sur le monde contemporain à partir de diverses anecdotes.

PHOTOGRAPHES

Fidèle collaboratrice à plusieurs magazines montréalais dont *Châtelaine, Urbania* et *Plaisirs de vivre,* **Dominique Lafond** est reconnue pour ses photos de reportage intimistes, pour la vie qu'elle donne aux objets et pour le naturel de ses portraits. Elle compte parmi ses plus récentes réalisations l'illustration des livres *La Croûte cassée, Sacré Dépanneur !,* et *Soupsoup.*
www.dominiquelafond.com

Né à Montréal, **Roger Lemoyne** a commencé sa carrière de photojournaliste par la couverture de la crise qui touchait la Corne d'Afrique en 1991, et a depuis couvert divers conflits : Bosnie-Herzégovine, Afghanistan, Irak, Israël, la Palestine, le Congo, le Kosovo, la Sierra Leone. Sa carrière est jalonnée de plusieurs prix prestigieux : Pictures of the Year International (2004), National Press Photographers Association (2003), prix spécial du jury Lux (2003), World Press Photo (1999), Ernst Haas Golden Light Award (1997). Ses photos ont été publiées dans *Paris Match, Macleans, Time, Life, L'Actualité, Communication Arts* et dans diverses publications de l'ONU. Un choix de ses photos a été réuni sous le titre *Détails obscurs. Photographies 1995-2003,* Montréal, Les 400 Coups, 2005.

ILLUSTRATEURS

Gérard Dubois est né en France en 1968. Diplômé en design graphique de l'École Estienne, à Paris, il a choisi de vivre à Montréal. Il collabore à de nombreuses publications aux États-Unis, en France, au Canada et au Québec (*The New York Times, Le Monde, Time Magazine,* la revue *XXI,* etc.), ainsi qu'avec divers éditeurs québécois et français.

Auteur BD, illustrateur et peintre, **Thierry Labrosse** a fait ses premières armes à la fin des années 1980 en publicité. Au cours des années 1990, il concentre ses énergies sur le dessin animé et réalise de nombreux story-boards pour des séries télévisées canadiennes, françaises et américaines. Au cours de cette même décennie, il amorce une collaboration avec le scénariste Christophe Arleston, mieux connu pour la série *Lanfeust de Troy.* Ensemble, ils créent l'album *Bug Hunters* ainsi que les cinq premiers tomes de la série *Moréa,* publiés aux éditions Soleil. En 2010, chez Vents d'Ouest, il amorce la parution de la série *Ab Irato,* dont l'action se déroule à Montréal en 2111. Premier titre paru : *Riel.* Deuxième titre à paraître à l'automne 2111.

Le MOOK AUTREMENT

En coédition avec Héliotrope (Montréal).
Directeur de la publication et de la rédaction : Henry Dougier
Éditrices : Florence Noyer (Héliotrope) et Anne-Charlotte Sangam (Autrement)
Directeur artistique : Kamy Pakdel
Mise en page : Alex Singer
Directrice de la fabrication : Bernadette Mercier
Attachée de presse : Doris Audoux
Contacts partenariat : Florence Prieur
Diffusion : Flammarion (France) et Gallimard Ltée (Canada)

- - - - - - - - - - - - - - - - - -

Crédits iconographiques
Couverture : © Patrice Lamoureux/Mattera inc
p. 6 : © Roger Lemoyne
p. 10 : © Marie-Reine Mattera
p. 12 : © Roger Lemoyne
p. 16 : © Laurence Labat
p. 18 : © Geneviève Provencher
p. 20 : © Jean-Pierre Gauthier
p. 23 : © Richard-Max Tremblay
p. 25 : © Peter Dimakos
p. 25 : © Conception-photo
p. 25: © Conception-photo
p. 27 : © Alexandre Burton, festival Sónar / Barcelone (2005)
Page 28 : © Simon Guibault
pp. 30 et 33 : © Bernard Fougères
p. 35 : © Le Quartanier, les Allusifs, Héliotrope
p. 37 : © Dominique Lafond
p. 38 : Magazine Ovni
pp. 40, 42 : © Dominique Lafond
p. 44 : © Shayne Laverdière, 2010
p. 47 : © Vero Boncompagni
p. 48 : © Mathieu Dupuis
p. 51 : © Izabel Zimmer
p. 52 : © Dominique Lafond (Musée d'art contemporain) ;
© Roger Lemoyne (Musée des beaux-arts)
p. 55 : © Alain Vandal
pp. 58 et 63 : © Muzo
pp. 64 et 66 : © Roger Lemoyne
p. 69 : © Roger Lemoyne
p.70 : © Dominique Lafond
pp. 73 et 75 : © Dominique Lafond
p. 77 : © Valérie Remise
pp. 78, 79, 80 : © Laurent Lorente
p. 84 : © Gérard Dubois
p. 88, 91, 93 : © Dominique Lafond
pp. 95 et 96 : © Gérard Dubois
p. 105 : © Ellen Page Wilson
p. 107 : © Michael Slobodian (Karina Gauvin) ; © Stéphanie Jasmin (Denis Merleau) ; © Éleanor Le Gresley (Dany Laferrière)
p. 111 : © Roger Lemoyne
p. 113 : © Bérangère Ferrand
pp. 115 et 116 : © Editions Glénat / Vents d'Ouest
pp. 121 et 124 : © Gérard Dubois

- - - - - - - - - - - - - - - - - -

HÉLIOTROPE
4067, Boulevard Saint-Laurent
Atelier 400
Montréal, H2W 1Y7
info@editionsheliotrope.com
www.editionsheliotrope.com
ISBN : 978-2-923511-33-7

- - - - - - - - - - - - - - - - - -

ÉDITIONS AUTREMENT, 77, rue du Faubourg-Saint-Antoine, 75011 Paris.
Tél. : 01 44 73 80 00 – Fax : 01 44 73 00 12.
www.autrement.com
Achevé d'imprimer en avril 2011 par Snel Graphics SA, Vottem, Belgique, pour le compte des Éditions Autrement.
ISBN : 978-2-7467-1534-9. Dépôt légal : mai 2011.

Vendu en librairie.